EU FICO LOKO 2
AS HISTÓRIAS QUE TIVE MEDO DE CONTAR

EU FICO LOKO 2
AS HISTÓRIAS QUE TIVE MEDO DE CONTAR

CHRISTIAN FIGUEIREDO DE CALDAS

Novas Páginas

© 2015 Editora Novo Conceito
Todos os direitos reservados.

Nenhuma parte desta obra poderá ser reproduzida, copiada, transcrita ou mesmo transmitida por meios eletrônicos ou gravações, assim como traduzida, sem a permissão, por escrito, do autor. Os infratores serão punidos pela Lei nº 9.610/98

6ª Impressão — 2016
Impressão e Acabamento RR Donnelley 131016

Produção editorial:
Equipe Novo Conceito
Foto da capa: Nicolas Rodrigues
Fotos do interior do livro: Nicolas Rodrigues e acervo pessoal do autor

Dados Internacionais de Catalogação na Publicação (CIP)
(Câmara Brasileira do Livro, SP, Brasil)

Caldas, Christian Figueiredo de
  Eu fico loko, 2 : as histórias que tive medo de contar / Christian Figueiredo de Caldas. -- Ribeirão Preto, SP : Novo Conceito Editora, 2015.

  ISBN 978-85-8163-782-2

  1. Crônicas brasileiras I. Título.

15-06572   CDD-869.8

Índice para catálogo sistemático:
1. Crônicas : Literatura brasileira 869.8

Novas Páginas
Rua Dr. Hugo Fortes, 1885
Parque Industrial Lagoinha
14095-260 – Ribeirão Preto – SP
www.grupoeditorialnovoconceito.com.br

E NOVAMENTE

E aí, meus lokões e lokon...

Espera! Isso aqui está repetitivo! Dois livros com a mesma introdução é falta de criatividade, não é? Porém, como essa é minha saudação oficial, não tô nem aí...

E aí, meus lokões e lokonas deste Brasil? Tudo bem com vocês???

O que eu tive medo de contar no outro livro? O que um moleque de vinte anos pode ter medo de mostrar para o mundo? *QUEREM MESMO SABER?*

QUALQUER COISA!

Minha fase mais insana e inesquecível foi dos meus treze aos dezoito anos! Com certeza, a que mais guardo na memória por causa das boas histórias. Algumas eu escondo a sete chaves, mas um dia vou querer contar para os meus netos numa tarde fria de domingo. Só que eles não vão estar nem aí, vão querer que eu conte logo para eles poderem jogar o Playstation 17 (suponho que, quando eu for vovô, já esteja no 17 ou 25, ou quem sabe, com a velocidade da tecnologia, nem exista mais um Playstation, e sim um Megastationblasterplus!).

Bom, vou tentar parar um pouco de viajar e focar. Se bem que foco nunca foi comigo. Eu posso estar escrevendo sobre adolescência e ser avô, e de repente me perguntar por que estou falando de Megastationblasterplus, e, quando vejo, estou fazendo a lista de supermercado e num piscar de olhos estou na sala vendo TV. Como fui parar lá? Não sei.

Mas não quero ser um velho chato que fica repetindo:

— *Velhos tempos... bons tempos...*

Prefiro já adiantar esse papo enquanto tenho vinte anos e pessoas interessadas em me ouvir! Ou melhor, em me ler... ou ler simplesmente que não tenho foco e que já me esqueci sobre o que falava há pouco! Era sobre netos ou Playstation?

Peraí, peraí! Vou ali tomar uma água e volto para continuar isto aqui um pouco mais focado.

COM A PALAVRA, MEU PAI

O LADO B DO SUCESSO!

A coisa começou mais ou menos assim: "Pai, você vai escrever a introdução do meu novo livro!".

Direto, sem perguntar se eu queria ou não, sem alternativas. Simplesmente determinou. Esse é o cara, já chega com o roteiro pronto, tudo planejado e criado, direcionando e delegando. Sempre foi assim, cheio das certezas, mas pronto para o diálogo e, como bom ouvinte, consegue discernir e ponderar fatos, atos e riscos desse caminho permeado de imagens e textos rodando na cabeça do rapaz que começou cedo com tudo isso.

Devia ter quatro anos quando criou um amigo invisível, verdadeiro e real para ele. Seu nome era "AMIGO GIGANTE", um misto de guarda-costas e brou. Na hora do vamos ver, ele entrava em ação rapidamente. Nessa época, costumávamos sentar para pintar, desenhar ou criar histórias. Chris inventava histórias fantásticas, surreais, verbalizando todo o cenário, e pedia para eu ilustrar os passos do Amigo Gigante nesse mundo mágico. Não parou mais. Logo assumiu também o papel de ilustrador das próprias histórias, que se transformaram hoje em textos, roteiros, imagens, edições e por aí vai. Tudo dentro da cabeça do autossuficiente, independente e seguro Chris.

Quando pequeno, ele se intitulava "QUIZE". Eu o chamava de Chrise, e a irmã, Natassia, de "NATA BATATA". Os mais velhos eram dois, o Pedroca "MINHOCA" e o Pablo, que viria a ser apenas "PÁ".

Enquanto morávamos em Blumenau, gostávamos de ir à churrascaria de um amigo. Lá chegando, Chris se acomodava todo sorridente em um cadeirão. Esse nosso amigo vinha servi-lo, agindo como garçom: "BAH, TCHÊ, O QUE QUERES PARA BEBER? O DE SEMPRE?". Então, trazia um "chopinho" (guaraná espumante) em um cálice minúsculo, que Chris apreciava em pequenos goles enquanto rachava o bico e retribuía sorrisos, pois sabia que estava sendo observado! Desde então, já percebíamos a pessoa carismática e cativante que se tornaria.

ESPORTE NUNCA FOI E NÃO SERÁ SUA GRANDE PAIXÃO, MAS ELE JÁ TENTOU. E como! Fez aikido (chegou à faixa marrom), capoeira (corda verde) e futebol, mas não levou adiante; somente os vídeos "Joga Bonito", que produzia com o melhor amigo. Ali, ele era um craque! Ele, a bola e um fio de náilon faziam a festa. Só assim ele conseguia fazer mil embaixadinhas sem deixar a bola cair. É claro que na câmera o náilon amarrado à bola não aparecia, transformando-o num verdadeiro craque!

Ações vencedoras como essa ficavam nos livros manualmente escritos, e nos desenhos que pareciam storyboards, nos quais ele se tornava um verdadeiro super-herói nessa abstração criativa.

Nos aniversários, preferia levar alguns amigos ao Parque de Diversões. Era ali que a adrenalina e o gosto pela aventura afloravam nele, sempre afeito a emoções fortes. Medo zero. Dá-lhe montanhas-russas!

Quando íamos para o interior, onde moram os avós, faturava alto. Eles compravam todos os desenhos que o Chris produzia. Era engraçada a negociação. Isso valia também para os peixes que pescávamos nos pesque-pague da região de Garça. Vendia-os todos, que iam para o freezer da avó. Eram tilápias enormes capturadas pelo pequeno pescador de ilusões.

VENDEU DE TUDO NO PORTÃO DA CASA NO BROOKLIN. RETALHOS DE PANOS BRANCOS SE TORNAVAM FANTASMINHAS, LIVROS DE HISTÓRIAS CORTADOS E LIDOS À EXAUSTÃO, BRINQUEDOS GASTOS PELO TEMPO E TUDO O QUE PUDESSE GERAR UMA GRANINHA.

A música também permeou a infância e a adolescência do Chris. Estudou violino e flauta. Tocou na orquestra do ensino médio, mas achava que não era o seu caminho de dedicação e parou com tudo. Tentou violão, mas ele ficou esquecido no canto do quarto. A música voltou quando os vídeos pediram trilhas mais elaboradas. Retornaram também as artes no Photoshop, que ele aprendeu rapidinho, para os thumbnails e coisas do tipo que entravam nas chamadas dos vídeos na internet.

Um dia, conversando com o avô do Chris, ele disse: **"You know, I think Chris is an old soul!"**. O avô dele sabia falar português, mas tinha o costume de conversar em inglês. Eu respondi: **"Será, sr. Horácio?"**.

Dezessete anos depois, concluo que ele estava certo. O Chris é uma alma que já viveu muitas vidas. Com certeza, já esteve por aqui várias vezes.

Cuide-se sempre!
Com amor
Pai & Amigo Gigante

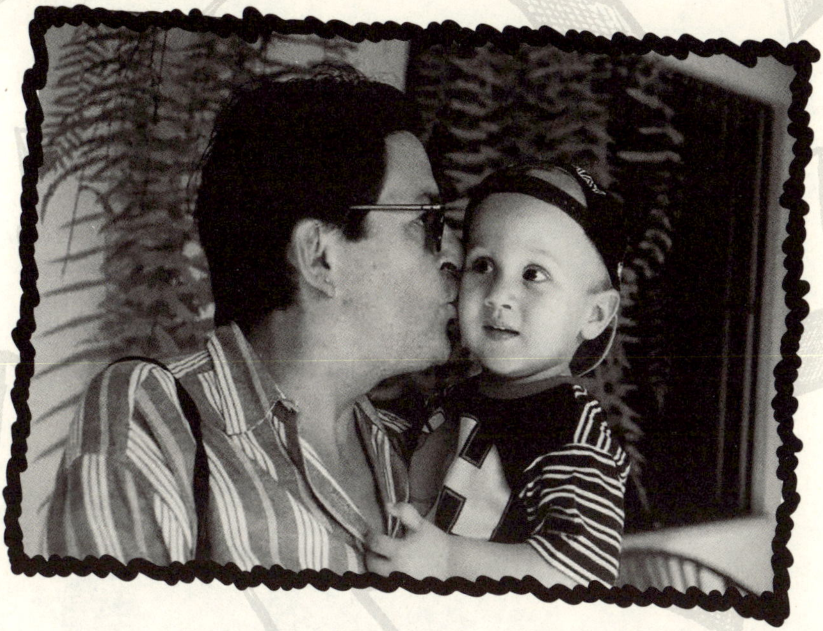

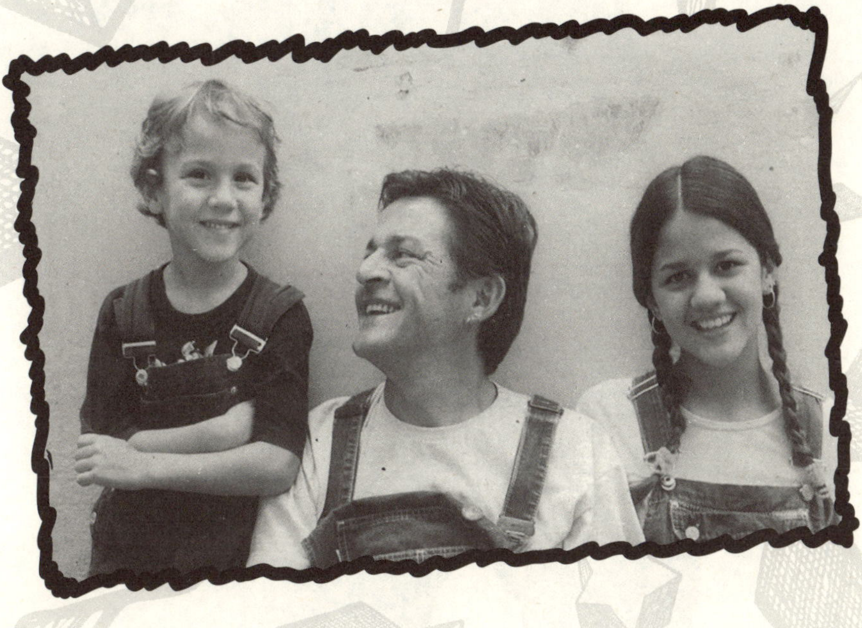

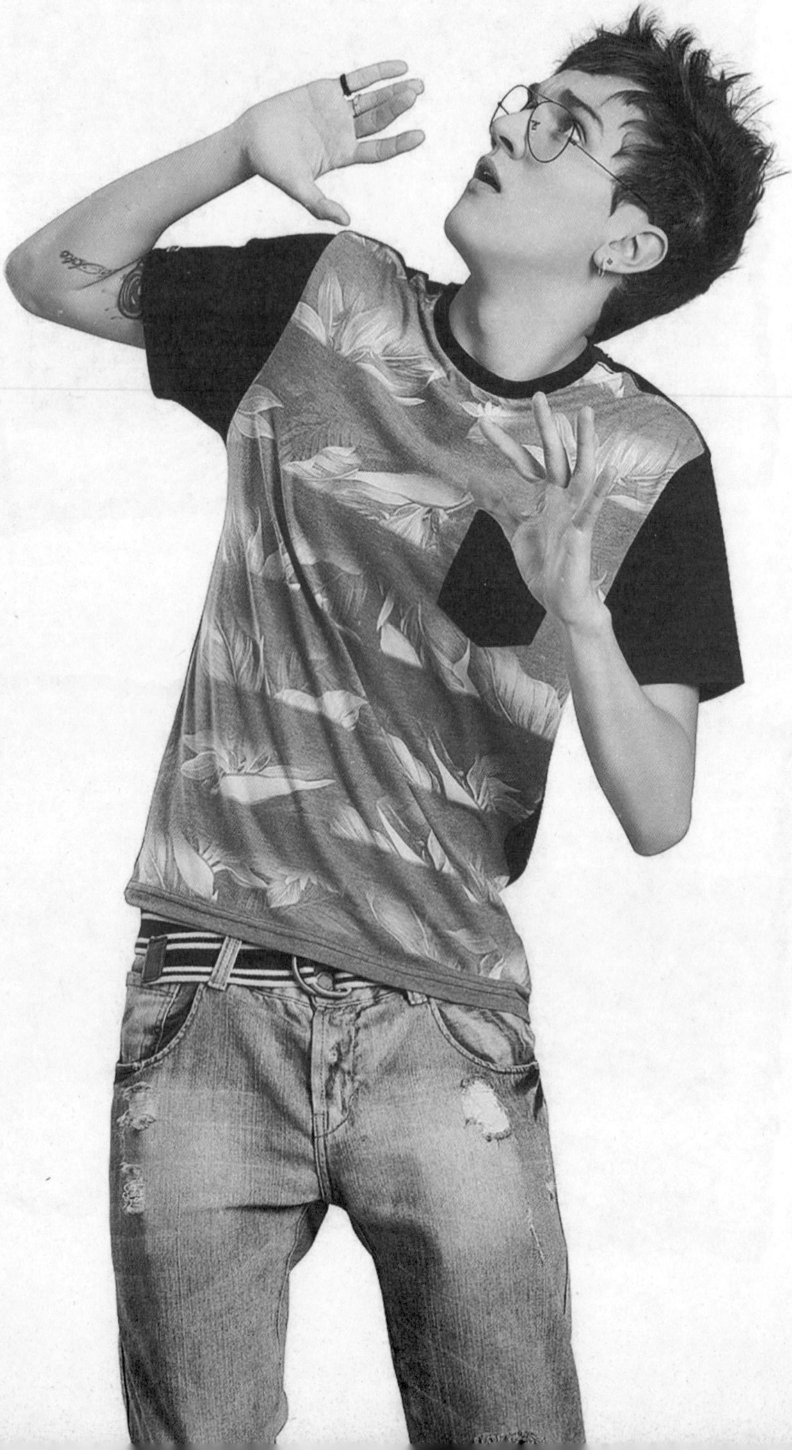

1

VOCÊS JÁ TIVERAM MEDO DE CONTAR SUAS HISTÓRIAS PARA ALGUÉM?

No meu caso, tive medo de abrir minhas histórias a vida toda. Porém, quando eu escrevo, me sinto dentro de um diário, bem à vontade. Quando vejo, já contei tudo.

Lembro que, aos quatorze anos, meus amigos já começavam a falar sobre sexo, e até mesmo a falar que já estavam fazendo sexo.

Tá aí um ponto filho da mãe nessa fase da vida: **A PRESSÃO DOS AMIGOS!**

Eu não me sentia pressionado por eles, mas sim pela situação que era botada nas conversas entre a gente, nas perguntas que eles faziam com um fundo de "e aí, eu já fiz, e você?". Parece que sempre estamos nos comparando e querendo estar à frente uns dos outros, e mostrar que um é mais comedor do que o outro! MEU DEUS! Quanta babaquice.

Lembro quando fizemos uma atividade em classe, na qual precisaríamos preencher um formulário em relação à matéria da época, sexualidade.

Como eu odiava quando aprendíamos sobre sexo na escola!

Primeiro porque as garotas ficavam que nem umas maritacas, rindo de qualquer coisa. O professor mostrava a foto de um pênis e elas **"kkkkkk"** (estou usando o internetês aqui). O professor mostrava como funcionava o pênis e elas **"kkkkkk"**. Qualquer coisa era motivo para risada.

Acho que eu me daria bem num show de *stand up* na época. Ao menos, pro pessoal da minha idade. Eu faria o impossível, o público riria sem que eu abrisse a boca. Só ia deslizar o zíper para baixo, mostrar a anaconda e *voilà*! Risadas!!! **Kkkkkk!**

Voltando para o formulário, tínhamos que responder a algumas coisas de conhecimentos gerais sobre sexo, mas também a perguntas sobre nós. Entre elas, estavam: **"JÁ PRATICOU ATIVIDADE SEXUAL?"**, "Com quantos anos?", "Usou preservativo?". Ou seja, o professor estava querendo saber quem ali já tinha dado uma bimbada!

Enfim, nunca entendi o real significado daquele formulário, mas preenchi o meu até o ponto em que começaram as perguntas pessoais. Encarei a folha, pensei... repensei... e cheguei a uma conclusão:

"Se esta folha chegar algum dia às mãos de um amigo meu, fodeu. Melhor eu mentir!"

É claro que, num primeiro instante, aquilo era só para o professor, mas fiquei com receio de colocar que era virgem (entre outras coisas constrangedoras), algum amigo meu espiar e ver as respostas, e depois eu virar motivo de piada, como sempre fui. Afinal, nenhum professor protegeria o meu formulário como aquele cara que grita **"THIS IS SPARTA!!!!"** no filme 300.

Foi então que comecei a preencher as lacunas. E já que me lembrei do filme, acho que virei um ator galã de Hollywood, porque aloprei nas respostas!

"Já praticou atividade sexual?" *SIM*.

"Quantas vezes?" *OITO*.

"Com a mesma pessoa?" *NÃO*.

Se não fosse o fato de ter que assinalar as alternativas em vez de escrever, minhas respostas seriam do tipo:

"Com a mesma pessoa?" "Óbvio que não, parça, era uma a cada noite... O bagulho era louco, porque aqui *nóis* é assim!"

Vocês devem achar que eu estava preenchendo com números exagerados apenas para brincar com o professor, mas eu digo para vocês: não!

EU REALMENTE TINHA TANTO MEDO DE EXPOR MINHA VIDA AMOROSA PARA MEUS AMIGOS E, CONSEQUENTEMENTE, DE SER ZOADO QUE INVENTAVA QUALQUER COISA PARA ESCAPAR DESSE BULLYING ADOLESCENTE.

A minha cagada foi ter colocado que tinha feito sexo oito vezes com quatorze anos, e o principal, com garotas diferentes. Parabéns, Chris! Virei vocalista de *boyband* naquele formulário, "o comedor"!

Enfim, a tortura acabou, as três folhas a serem preenchidas estavam prontas. Eu devia ter dado no máximo quatro respostas verdadeiras. No resto, menti na maior cara de pau!

O sinal tocou e o professor recolheu as folhas.

A minha primeira reação? Sair logo da aula, pois, mais constrangido do que eu estava, não tinha como ficar.

Imaginei que nunca mais o professor tocaria no assunto daquele "exercício", mas eu estava enganado. No período da tarde, teríamos outra aula com aquele queridíssimo professor que eu amava muito. O tempo passou... as aulas do dia passaram... passaram... passaram... passaram... passaram... (eu poderia ficar aqui falando "passaram" o dia todo, pois, quando a gente quer que a hora passe logo na escola, ela **NÃO PASSA!**) e, por fim, a última aula do dia: mais um pouco de sexualidade.

O professor entrou na classe e falou:

— Nossa, turma... que cara de sono! Mas relaxa que agora é a minha aula, o sono vai embora!

Eu logo pensei:

"O sono vai virar coma, isso, sim..."

Se os alunos pudessem falar tudo o que pensam na escola, acho que ninguém mais estudaria, seria todo mundo expulso. Só sei que acordei do meu coma quando ele falou:

— Bem, classe, eu pude dar uma olhadinha nas respostas do formulário de hoje cedo e eu queria conversar com alguns de vocês, pode ser?

"ÓBVIO QUE NÃO PODE SER!", eu pensei...

"SE ELE LEU MEU FORMULÁRIO, É CLARO QUE VAI QUERER FALAR COMIGO."

Enfim, ele sentou à mesa dele e pegou uma pilha de folhas da bolsa de couro que levava pra cima e pra baixo. Sim, de couro. Não entendo por que os professores fazem questão de passar um ar de "velha guarda". Tanta mochila legal, maleta bonita, pochete bacana (não, péra!) e ele usando aquela bolsa de couro meio envelhecida, um couro marrom que já estava cinza de tão gasto, sabem?

O professor começou a olhar folha por folha. Enquanto ele lia os nomes dos alunos, encarava a respectiva criatura na classe. Foi assim por cinco ou dez minutos.

Depois de folhear tudo aquilo, ele disse em voz alta:

— Turma, atenção aqui!

Eu estava no canto, totalmente angustiado. Fiz o exercício com receio de que meus amigos vissem que eu era um zero à esquerda na vida amorosa, e agora estava com vergonha até do professor.

— *Por favor, Christian, venha aqui na frente...*

Ferrou!!! Meu coração parou, cheguei a paralisar que nem ele. Parece que, quando você não quer ser chamado pelo professor, ele escolhe seu nome de forma instantânea! Você pensa: "Não posso ser chamado". Quem ele chama? Você.

Não deu outra. Levantei, fui até a mesa e ele falou, olhando nos meus olhos:

— Tá aqui o seu exercício...

FOI UM MOMENTO DE TENSÃO, EU JURAVA QUE ELE FALARIA QUALQUER COISA, MENOS AQUILO. Contudo, quando busquei a folha da mão dele, o professor deu aquela seguradinha a mais, sabe? Que não deixa você ir embora porque ele tem mais um aviso a dar.

— Christian, depois do sinal, fica mais uns cinco minutinhos, ok?

Pensei:

"Óbvio que não! Tá me tirando? Hoje já tem aula até mais tarde e você quer que eu fique cinco minutos a mais com você? Tá doidão?!"

Mas respondi:

— É claro, professor!

Então ele chamou a classe toda para pegar os questionários na mesa dele.

No fundo, eu sabia que ele queria falar alguma coisa sobre minhas respostas e aquilo foi me corroendo até o final da aula. Não consegui prestar atenção em nada até aquele maldito sinal tocar e eu descobrir o que ele queria falar comigo.

UFA! O SINAL TOCOU.

Todos correram para a porta como uma manada de elefantes que não bebem água há meses e se deparam com uma lagoa, onde podem matar a sede. Comparação meio bosta? Sim. Enfim, continuemos.

Esse é outro momento em que passamos vergonha, também... afinal, estão todos indo embora e só sobra você ali, na sala. Alguns até perguntaram:

— Ei, vambora?

E eu respondi, com o peito apertado como se um dos elefantes que citei antes estivesse sentado em cima dele:

— Já, já, eu vou...

A classe se esvaziou e nem esperei o professor me chamar. Fui até ele, puxei uma cadeira e fiquei esperando que ele começasse.

Ele me olhou um pouco, estabeleceu um momento de suspense no ambiente e ameaçou falar, porém resolveu pegar uma caneta antes. Não sei o que acontece, mas os professores devem fazer um curso de "suspenseologia", no qual aprendem a deixar os alunos com medo. Todos têm esse dom.

Já com a caneta em mãos, ele disse:

— **CHRISTIAN, CADÊ SEU QUESTIONÁRIO?**

Sem falar nada, peguei a folha e dei na mão dele.

Ele me encarou de novo, abaixou a cabeça e começou a reler as respostas.

Meu constrangimento só aumentava.

Alguns segundos depois, ele levantou a cabeça e perguntou:

— Como você se sente, Christian?

Não entendi o que ele quis dizer com aquela pergunta, mas, naquele instante, eu tinha vontade de ir embora.

— Ah, professor, me sinto bem, por quê?

Ele analisou um pouco mais a folha e respondeu:

— Ok, Christian... Espero que você não esteja fazendo isso aqui para impressionar, pois realmente me preocupo com meus alunos. Mas tudo certo, pode ir embora.

Não entendi nada! Ele me chamou ali, me enrolou e me mandou ir embora? Que perda de tempo!

Enfim, parti dali mais aliviado...

Quando cheguei em casa, minha mãe já estava lá. Geralmente ela chegava do trabalho à noite; pelo visto, esse dia era uma exceção. Ela me deu um "oi" com uma cara de decepção e me chamou para conversar.

Quando a mãe diz que quer falar com você, lá vem coisa.

Meu coração disparou de novo.

Meu Deus, duas disparadas em um só dia, assim não dá! Eu era muito novo pra enfartar.

Ela sentou do meu lado no sofá e perguntou:

— Chris, você quer me contar alguma coisa?

Eu disse que não e ela continuou:

— A escola ligou hoje e eu conversei um pouco com eles... Eu queria fazer alguns exames com você amanhã, ok? Já agendei no laboratório.

Não entendi nada e perguntei, sobressaltado:

— QUE EXAMES, MÃE?!

Ela disse que se assustou com algumas respostas que dei num formulário da escola e que não queria que o filho dela estivesse com alguma... bem... DST (doença sexualmente transmissível)!

Lembro que comecei a dar risada e perguntar se ela estava brincando.

— Ué, filho, não sei... Na minha época, tudo era tão mais devagar. Você é livre pra fazer o que quiser, mas é sempre bom prevenir incidentes.

ACHO QUE, NAQUELE MOMENTO, MINHA MÃE ESTAVA ACHANDO QUE EU ERA UM GIGOLÔ, NÃO É POSSÍVEL! FAZER EXAMES PARA VER SE NÃO TINHA ALGUMA DOENÇA?! MEU DEUS!

Expliquei tudo pra ela, o motivo pelo qual menti naquele formulário, e ela ficou mais calma...

Lembro que, depois disso, fui tomar banho e botei na minha cabeça que eu NUNCA mais mentiria num formulário. Fosse escolar ou qualquer outro, vi que aquilo não dava certo.

Só não entendi por que o professor precisou ligar lá para casa. Acho que ele realmente acreditou nas minhas respostas. Bom, pelo menos ele estava protegendo os alunos dele, não é mesmo?

MAS QUEREM SABER? EU ODIAVA OS PROFESSORES QUE SE METIAM NA MINHA VIDA FORA DA ESCOLA. FOSSE EU UM VOCALISTA DE *BOYBAND* QUE PEGASSE GERAL OU APENAS O CHRISTIAN FIGUEIREDO, MINHA VIDA É MINHA VIDA, NÃO QUERIA NINGUÉM OPINANDO.

Pois é. Essa minha cabeça dura me levou a muitas enrascadas, mas vou deixá-las para os próximos capítulos.

1+1=11

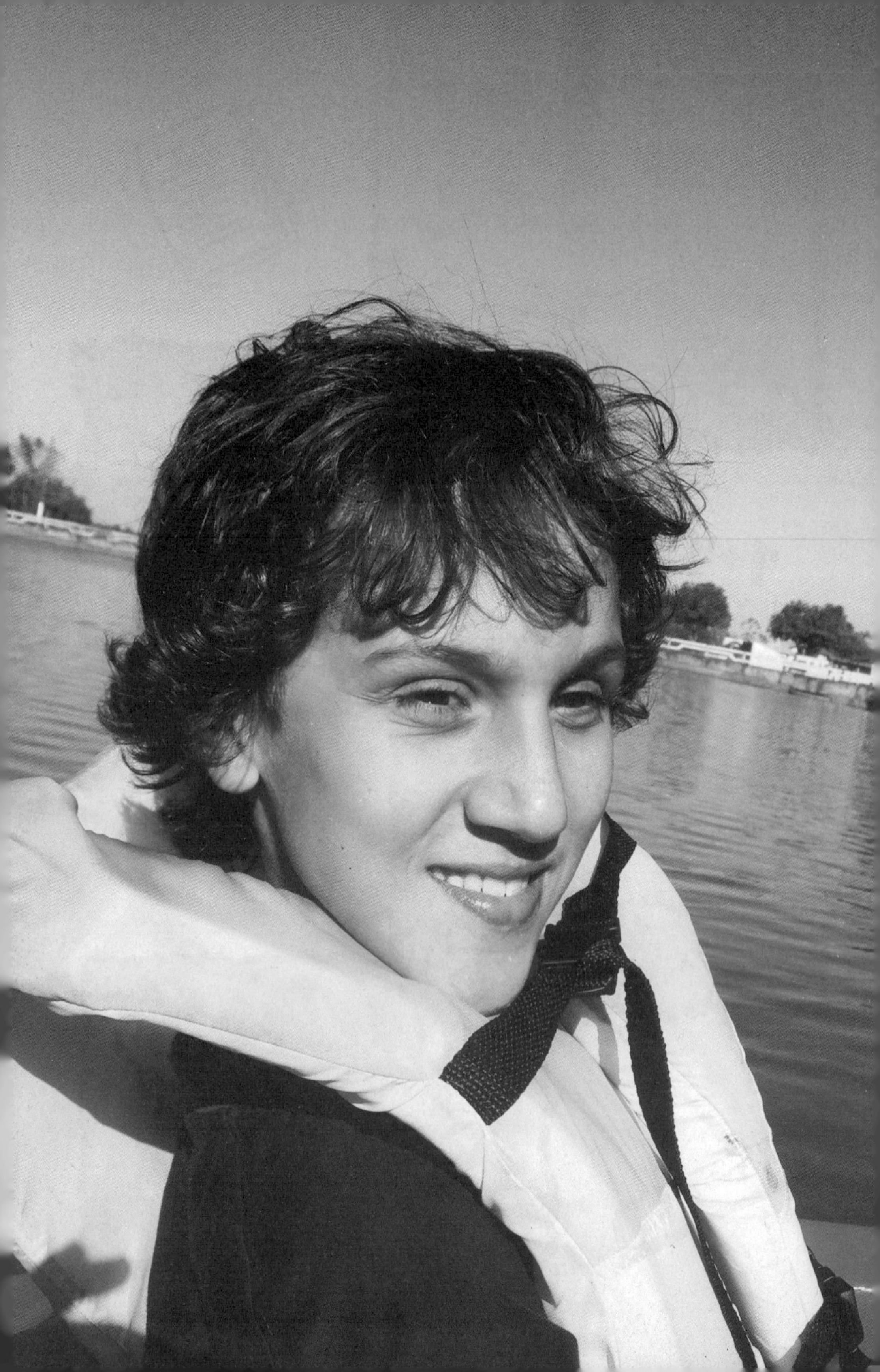

2

VOCÊS ACREDITAM EM PAIXÃO À PRIMEIRA VISTA?

EU NUNCA ACREDITEI NESSAS COISAS, ATÉ PORQUE VOCÊS JÁ SABEM QUE *SE DAR BEM COM AS GAROTAS* NÃO ERA COMIGO.

Porém, me lembro até hoje de uma história que nunca quis abrir pra ninguém, pois eu era um idiota iludido que acreditava mais em contos de amor do que na vida real.

Sempre quis acreditar que as coisas são belas, que não existem pessoas más e que o amor move montanhas. Isso me deixava romântico, mas acho que, para a maioria das pessoas, um romântico nos dias de hoje não serve pra nada...

Meu pai me contava as histórias dele de quando era adolescente. Como ele nasceu nos anos 50, sua adolescência foi em 70, mais ou menos. Se pudesse, eu trocava de época com meu pai. Imagina?! Ouvir uma música melosa dos Bee Gees agarrado a uma garota num baile de sábado, com hora marcada para deixá-la em casa, de preferência às oito da noite, no máximo. Pra completar, no momento de me despedir dela, aquele beijo demorado marcando ali uma paixão eterna... Sim, sou desses.

Como vocês já perceberam, sempre fui muito iludido. Enquanto meus amigos passavam o rodo, eu ouvia "You're Beautiful" do James Blunt e imaginava uma cena amorosa com alguma garota.

As férias de julho estavam chegando e minha mãe queria ir para o Guarujá passar uma semana. Clássica viagem em família: eu, minha irmã, minha mãe e minha vó.

CHRISTIAN E SUAS MULHERES!

As férias do meio do ano, para mim, eram as mais queridas. Elas representavam a quebra de um período chato e tedioso: as aulas. No primeiro dia de férias, lembro que eu tentava ficar acordado o máximo que conseguia e, no dia seguinte, dormia o máximo também, só para falar depois: "Comecei as férias com o pé direito!".

Acordamos bem cedo para não pegar trânsito.
Era sábado, e quem mora em São Paulo sabe que a estrada para o Guarujá num fim de semana em época de férias é sempre caótica. Uma hora de viagem vira três!

Eu era meio sonâmbulo para viajar cedo. Minha mãe me acordava, eu pegava o travesseiro e ia direto para o banco de trás do carro me deitar (mesmo que tivesse hibernado como um urso no dia anterior). No entanto, quando era viagem em família, a coisa mudava. Eu não conseguia me esticar por inteiro no banco. Acabava apoiando a cabeça no vidro, de lado, naquela posição em que você acorda parecendo que dormiu com o pescoço em cima de uma pedra, sabe?

Mas, naquele sábado, tanto fazia se estava mal acomodado, porque chegamos ao Guarujá às sete da manhã, tendo saído de São Paulo às cinco e meia. Fizemos uma boa viagem.

Já no apartamento da minha vó, todos cochilaram até o meio-dia (eu, de novo) e então partimos para a praia... MUITO sol, MUITA água de coco, MUITO sorvete e MUITO mar.

ESSE MUITO DUROU TRÊS DIAS. No quarto dia, minha mãe não quis ir à praia de manhã e resolveu caminhar. Eu odiava quando ela fazia isso, porque demorava horas e horas, e eu sempre achava que tinha acontecido alguma coisa com ela, que tinha sido sequestrada, enfim, sempre pensava no pior.

Só que esse dia foi diferente, especial, único.

Sempre tive vergonha de contar essa história por medo de me julgarem por agir infantilmente com as garotas, de forma que elas não me levavam a sério. Porém, no fim deste capítulo, vocês, garotas, poderão me dizer se é isso mesmo...

Nesse dia demos um passeio pela cidade de manhã e, lá pelas quatro, fomos à praia. Ela estava beeeem vazia. Não havia nem aqueles clássicos caras sem camisa, jogando futebol de fim de tarde.

Obviamente que não fui caminhar com minha mãe.

Mães, entendam: **FILHOS ODEIAM CAMINHAR NA PRAIA COM OS PAIS!**

De camiseta e short, fiquei ali, sentado na areia, olhando para o horizonte. Peguei meu iPod e conectei os fones. Resolvi deitar um pouco e ouvir música de olhos fechados.

Eu adorava músicas românticas. Tem sempre aqueles engraçadinhos que chegam pra dizer: "Ih, tá apaixonado!", mas simplesmente gostava das melodias. Botei para tocar uma *playlist* que tinha no meu iPod chamada "Love Songs".

Alguns minutos depois, senti uma *areiada* na minha cara. Sabe, daquelas que vêm quando alguém passa correndo do seu lado?

FIQUEI TODO CAGADO DE AREIA, PUTO DA VIDA!

Já estava pronto pra xingar o desgraçado que tinha feito aquilo quando abri os olhos e vi, na minha frente, a menina mais linda deste mundo me encarando e dando risada. Tirei o fone para entender o que estava acontecendo e ela falou:

— *Cuidado aí com os olhos fechados pra não ser assaltado!*

– **OI?**

— *Eu queria te cutucar, mas sei lá, achei que jogar areia em você seria mais engraçado!*

– **OI?!**

— *Você só sabe falar "oi"?*

Comecei a gaguejar e disse:

– **SEI FALAR "OI" E...**

Travei no "e". Fiquei sem saber o que falar. Se você já passou por isso, sabe como é. Querer colocar pra fora um dicionário inteiro, mas não sair nem uma vozinha, nem sequer aquele miado de gato!

Ela pediu desculpas pela abordagem, mas nem precisava. Quem em sã consciência acreditaria que uma menina tão linda chutaria areia num cara magrelo como uma minhoca esticado na areia?

EU!!! (E ESPERO QUE VOCÊS, É CLARO!)

Gostei da originalidade dela e fiquei ainda mais encantado. Ela era extrovertida demais, linda demais e estava me deixando com vergonha demais.

Não sei como estava me dando mole. Bom, eu achava que estava, afinal, ela sentou ali do meu lado e me tratou de uma forma que passei a me considerar o Brad Pitt.

Eu era daqueles que, se a garota me tratava bem, eu já me apaixonava.

A primeira coisa que perguntei (dessa vez, sem gaguejar) foi o nome dela. Ela respondeu e eu achei o nome dela lindo. **MEU DEUS! NOME LINDO, MENINA LINDA, OU SEJA, EU ESTAVA LASCADO!**

Como sempre escondo nomes em caso de possíveis problemas, vou chamá-la de Lívia aqui no livro. Apesar de que eu realmente gostaria de falar o nome verdadeiro dela, para quem sabe reencontrá-la um dia.

Enfim, a Lívia sentou do meu lado e ali ficamos durante muito tempo conversando. Nós nos demos tão bem que perdi a timidez e o papo fluiu como nunca tinha fluído com nenhuma garota na minha vida.

A primeira conversa, o primeiro olhar, a primeira palavra, o primeiro tudo. Aquela menina me deixou encantado.

Espontânea, moleca, brincalhona, sorridente, linda...

Sabe aquela pessoa tímida e extrovertida ao mesmo tempo? Que sorri, dá muita risada e depois simplesmente interrompe aquele momento feliz com um sorriso constrangido no rosto de: "Eu extrapolei na risada? Desculpa...".

Se não sabe, IMAGINE! Era real!

O jeito dela me encantou e, pelo que eu tinha percebido (na verdade, pelo que minha NENHUMA experiência em me dar bem com garotas havia percebido), eu tinha quase certeza de que ela também estava na minha.

Só não havia entendido até agora o que uma garota linda como aquela fazia sozinha na praia.

Depois de conversarmos por uma hora sem parar, eu finalmente perguntei:

— Mas o que te levou a andar sozinha na praia quase às seis horas da tarde, perturbando pessoas como eu, que só queriam ouvir música de olhos fechados?

Ela deu risada e respondeu:

— Chris! Eu sou assim, quando bate vontade de esquecer do mundo, eu venho aqui na praia e começo a passear, sentir as ondas, ver o pôr do sol, jogar a energia da cidade fora e pegar uma energia nova, sabe?

Ela falou um monte de palavras, mas, naquele momento, eu só me toquei de uma coisa: **ELA MORAVA NA CIDADE!**

Mas qual cidade?!

Em mais de uma hora de conversa, não havia perguntado em momento algum... e essa pergunta significava aquilo de que eu mais queria ter certeza, que o que estava rolando ali não acabaria para sempre.

Vocês devem estar pensando: "Mas o que rolou ali além de conversa?".

E eu digo: "Química, física, matemática! **ROLOU TUDO**".

A energia bateu e eu posso confirmar: eu estava na dela e ela na minha. Sabe quando a gente tem certeza de que o outro mal te conhece e sente o mesmo por você? Em uma hora, eu já tinha descoberto que aquela "química" era mútua.

Pois é, lokões e lokonas, amor à primeira vista!

Ela respondeu à minha pergunta e disse que era de São Paulo. Eu não acreditei, fiquei entusiasmado e o assunto voltou a fluir. Como ela era bem doidinha, do nada me cortou, tirou a blusa e a saia, ficou só de biquíni (imagine de novo!) e disse:

— Vamos mergulhar antes que escureça?

Eu não estava de shorts de banho, era um de pano bem grosso, mas pensei:

"Vou perder a chance de nadar com a suposta mulher da minha vida?!"

Tirei a camiseta e corri atrás dela.

Dei um **TCHIBUM** na água, daqueles que até dói a barriga de tão forte que você se joga, sabe?

Ela rachou de dar risada do meu "salto de rã" no mar. Não sei o que aconteceu ali, mas bateu aquele momento de felicidade coletiva. Ela dando risada de mim, eu dando risada da risada dela... bobose total!

Porém, logo depois veio aquele momento de pausa, de silêncio... e foi nessa hora que a gente ficou com o olhar preso um ao outro. O mar estava um lençol, calmo, liso. O sol estava se pondo e ela se aproximou de mim lentamente, e eu dela... Até que não tinha mais para onde ir. Ou desistíamos, ou acontecia o que vocês já estão imaginando.

Posso dizer pra vocês: foi cena de filme! Nunca me senti tão pleno, feliz e certo de que aquela pessoa era especial para mim.

PODEM TOCAR SUAS MÚSICAS ROMÂNTICAS AÍ DO CELULAR, QUE AGORA VEM O BEIJO...

Foi um beijo daqueles que, quando você acha que vai acabar, o casal continua se beijando. Naquele beijo, não só troquei saliva com ela, mas sim carinho, vida, amor.

Eram mil sensações em uma só. Era como meu primeiro beijo novamente, só que mil vezes melhor! Aliás, nem falarei do meu primeiro beijo, pois, como vocês bem sabem, ele foi horrível.

Quando paramos um pouco, ela disse:

— *Chris, não quero te perder...*

Naquele momento, eu tinha certeza de que meu sentimento era recíproco. Saímos da água, estendi minha camiseta na areia e sentamos em cima dela para ver o pôr do sol. Ela deitou a cabeça no meu ombro e ficamos quietos, apenas observando a cor alaranjada no céu, que logo se apagou e deixou tudo escuro.

Eu não queria mais largá-la, queria ficar com ela, sair com ela, fazer tudo com ela... Não consegui me imaginar longe daquela garota. Tudo foi tão rápido e tão mágico que eu sabia que aquilo me marcaria para sempre.

Escrevo isso como se tivesse acontecido ontem. Eu me recordo de cada palavra, cada beijo, cada olhar...

E, como tudo que é único e mágico, ela se levantou e disse:

— *Chris... não sei nem o que falar. Eu esqueci da minha vida com você.*

Eu concordei e dei outro beijo nela. Parece que cada beijo, no momento em que gostamos da pessoa, faz a gente se apegar ainda mais, pois a ilusão de ter alguma coisa com ela só crescia. Mas por que eu digo ilusão? Conhecer uma garota, viver algo intenso com ela e depois ficar sonhando com imagens que você projeta para o futuro são ilusões. O concreto é sempre algo dez vezes mais difícil.

Ficamos mais alguns minutos ali no escuro da praia, e então ela falou:

— Chris, preciso voltar pra casa. Amanhã a gente vai cedo pra São Paulo...

QUANDO ELA DISSE "SÃO PAULO", MEU MUNDO DESMORONOU. EU AINDA TINHA MAIS TRÊS DIAS NA PRAIA E, NA MINHA CABEÇA, ERAM MAIS TRÊS DIAS SOZINHO. A LÍVIA ME COMPLETOU DE TAL FORMA QUE NÃO TER A PRESENÇA DELA ME DEIXARIA VAZIO, SOZINHO.

Percebi que ela ficou triste ao falar aquilo para mim. Havíamos passado uma tarde maravilhosa, e só sobrou a despedida.

Não pensei que seria para sempre, mas deduzi que seria por um tempo. Então, trocamos celulares. Na época, ainda não usávamos coisas como WhatsApp com plano de internet ilimitado, era SMS e olhe lá! E, cara, meu plano era de trinta SMS por mês, e eu só tinha uns cinco restantes.

Nós nos despedimos (e queeeee despedida... Foi abraço apertado, nó na garganta, beijo), e veio depois o "tchau".

Cada um foi pro seu canto... Ela foi para um lado da praia, eu fui para o outro.

Com um clima tão forte de despedida, aquilo só me fazia repensar se um dia eu a encontraria de novo.

Tudo mudou quando lembrei:

"CADÊ MINHA MÃE?!"

Corri exatamente para o lugar em que eu havia ficado sentado escutando música, mas nada dela. MEU DEUS! Onde minha mãe estava?!

Andei pela praia toda e nada. Sem crédito no celular, voltei correndo pra casa da minha vó, para ver se ela estava lá. Achei estranho que ela não havia me ligado.

Chego em casa e quem está lá no sofá vendo filme, de boa? Minha irmã, minha vó e minha mãe sumida.

Lembro que falei:

— **MÃE!! VOCÊ SUMIU! NÃO FAZ MAIS ISSO!**

As três olharam pra mim e disseram:

— Hummm... Você que nos conte o que rolou com aquela menina.

Arregalei os olhos e não entendi nada! Como assim, elas sabiam?

MINHA MÃE DISSE QUE HAVIA VOLTADO DA CAMINHADA E ME VIU NO MAR COM UMA GAROTA, NÃO QUIS ATRAPALHAR O MOMENTO "LOVE" E FOI EMBORA SOZINHA. ISSO QUE É MÃE!!!

Minha preocupação virou constrangimento, então falei:

— Depois eu conto tudo.

Era óbvio que eu nunca contaria, pois filhos homens nunca contam nada para as mães (ainda mais mãe, irmã e avó), e, ainda por cima, fiquei tímido como nunca.

Fui para o meu quarto e peguei meu celular tijolo. Comecei a digitar um SMS pra Lívia. Eu era tão bobo que desistia de tudo antes de enviar. Digitava, digitava e apagava tudo. Não estava achando nada bom. A real é que nada vai ser bom o suficiente na primeira mensagem que mandamos depois que ficamos com uma garota com quem queremos continuar conversando.

POR FIM, O TEXTO DE MIL LINHAS ACABOU VIRANDO UM SIMPLES "OI".

Fiquei na agonia de esperar que ela respondesse, aquela eternidade de apenas alguns minutos que pareceram horas.

Cinco minutos depois, ela respondeu com um "oiiiiiii" bem grande, do jeito que eu gosto. Aquele que demonstra que a pessoa está interessada. Papo vai, papo vem... e meus cinco SMS foram pro saco.

Comunicação zero até recarregar o celular. Porém, nessas cinco mensagens, peguei todas as informações de que eu precisava para arquitetar meu plano!

Eu e meus planos infalíveis totalmente falidos que nunca davam certo. Mas esse eu confiava que daria.

Numa das mensagens, ela havia dito o nome da escola em que estudava, que por sinal era a mesma de um dos meus melhores amigos. Eu sabia onde ficava e não era tão distante da minha casa.

EU QUERIA FAZER UMA SURPRESA PRA ELA, SUMIR DURANTE OS DIAS SEGUINTES E APARECER NA ESCOLA DELA NO PRIMEIRO DIA DE AULA PARA CONTINUAR AQUELA HISTÓRIA QUE, NA MINHA CABEÇA, APENAS SE INICIAVA.

Quando voltamos para São Paulo, comecei a arquitetar tudo. Enquanto isso, ela me mandava SMS dia sim, dia não. Era sempre "Oiiii", "Chris?", "Cadê você?".

Depois de alguns dias, ela desapareceu por completo e foi então que meu coração não aguentou mais.

Foi difícil "ignorá-la". Na verdade, as aspas da frase anterior representam a falta de crédito no celular, pois, se fosse o contrário, acho que não aguentaria fazer esse joguinho de sumir por um tempo.

Preparei tudo. Eu acordaria de manhã bem cedo, faltaria à aula e partiria para a escola onde ela estudava. Na minha mochila estava um saco de pétalas de rosa, cartinhas com o nome completo dela, fita adesiva e, claro, eu carregava uma cara de pau tremenda.

Chegando à escola dela, entrei normalmente, como se fosse um aluno. Achei que nessa parte do plano eu já teria algum problema, se bem que um moleque com mochila e cara de pastel não tem erro, é só entrar.

Dentro da escola, ouvi o sinal da pausa. O horário do intervalo era às 9h30, o mesmo do meu colégio. Coincidiu de tudo estar dando certo, conforme planejei.

Comecei então a espalhar os papéis com o nome dela pela escola, grudando alguns nas paredes do colégio e deixando perto deles as pétalas de rosas que havia comprado. Além do nome dela, escrevi também:

"Voltei para te encontrar. Ass.: Chris."

Eu sabia onde era a classe dela, então fiz os arranjos perto da sala em que ela estava. Todos que passavam por ali mostravam uma cara de: **"QUEM É VOCÊ, CARA?! SAI DAQUI"**.

Ignorei os olhares e continuei fazendo o que planejei. Eis que o sinal tocou novamente, então terminei de jogar as pétalas e fiquei no banquinho do lado de fora da sala.

Os alunos foram voltando e entrando na classe. Alguns me olhavam, alguns não entendiam aquele monte de pétalas no chão; na verdade, acho que a maioria não entendia.

Aí eu ouvi uma risada. **ERA A RISADA**. Um som que me fazia lembrar dos momentos incríveis que foram deixados para trás, mas que estavam voltando em memórias.

Vi seus cabelos aparecendo na escada. Levantei e fiquei de pé, esperando aquele momento de reencontro.

Os ombros dela apareceram. Depois o tronco, as pernas e então os pés... lá estava ela, Lívia, linda, sorrindo, espalhando a alegria dela.

Mas tudo desabou quando enxerguei algo que eu gostaria que fosse ilusão, mas não era. Ao seu lado, havia um cara. Vou resumir: boa-pinta, forte e alto pra cacete. Assim que terminaram de subir as escadas, ele roubou um beijo dela, um beijo de pessoas que estavam juntas há muito tempo e se conheciam muito bem.

NAQUELE INSTANTE, TODAS AS MINHAS EXPECTATIVAS ROLARAM POR AQUELA ESCADA ABAIXO. ELES TINHAM DADO APENAS UM SELINHO, MAS NA MINHA CABEÇA A CENA DUROU HORAS, EM CÂMERA LENTA E COM MÚSICA ROMÂNTICA, COMO AS QUE EU GOSTAVA DE OUVIR, SÓ QUE NÃO ERA PARA MIM.

Quando a Lívia olhou pra frente, ela deu um grito. O garoto que estava do lado dela perguntou o que havia acontecido. Ela disse que estava tudo bem, mas naquele instante as coisas se inverteram. A garota extrovertida, animada e cheia de personalidade havia virado o Christian do começo do capítulo:

quieto, gaguejador e pálido. Ela ficou estática na minha frente, e eu também...

Eu olhando para ela, ela olhando para mim e o cara junto dela olhando para nós dois.

EM MINHA CABEÇA, PASSAVA UM TURBILHÃO DE PENSAMENTOS. A cena do meu primeiro beijo com a Lívia foi atropelada pela cena da menina de quem eu gostava beijando outro.

Finalmente ela olhou para mim e disse bem baixinho:

— Desculpa, Chris, eu não podia contar...

O sujeito ao lado dela tinha um ponto de interrogação no meio da testa. Eu olhei pra Lívia com cara de decepcionado. Larguei o saco de pétalas no chão, botei a mochila nas costas e andei apressado. Depois comecei a correr, correr como se não houvesse limites, limite físico, mental, nada. Eu só corria, corria, mas não podia fugir daquele sentimento. Saí pelo portão da escola e continuei correndo pelas ruas da redondeza.

Quando parei, sentei ofegante na calçada. Meus lábios estavam duros de tão secos. Meus olhos estavam arregalados e meu coração em pó.

Ali, sentado, me dei conta de que tudo que tive com ela foi uma ilusão. Ela tinha outro, e esse outro tinha vivido uma história muito mais real com ela do que a minha.

NÃO FIQUEI COM RAIVA DELA, MAS SIM COM RAIVA DE MIM, POR ACREDITAR MAIS UMA VEZ NO AMOR, NA PAIXÃO, NO CORAÇÃO. Não estou dizendo que sou um rancoroso que não acredita mais no amor. Acho que ainda sou o mesmo menino apaixonado e romântico de sempre, capaz de jogar pétalas para uma menina de quem gosta e que vai enxergar a verdade daquele sentimento no olhar dela. Mas depois daquilo eu fiquei muito mais alerta, com um pé atrás e desacreditado na intenção de todos.

NAQUELA CALÇADA, CONCLUÍ QUE A VIDA NÃO É UM FILME AMERICANO DE AMOR. A VIDA É REAL, É FEITA DE MUITA FELICIDADE, MAS TAMBÉM MUITA TRISTEZA. E NÃO É UMA TRISTEZA EM QUE VOCÊ ENXUGA AS LÁGRIMAS, ASSISTE AOS CRÉDITOS FINAIS E VAI EMBORA, QUE NEM EM UM FILME. ESSA REALIDADE TE MACHUCA, TE MARCA, MAS TE DEIXA FORTE PARA NUNCA MAIS ERRAR.

Alguns dias depois, descobri que aquele cara realmente era namorado dela. Perguntei mais sobre a Lívia para meu amigo que estudava na mesma escola que eles. Ele era um ano mais novo, mas sabia de tudo.

Vocês devem se perguntar: e se eu tivesse investigado sobre ela antes de aprontar aquilo com meu coração? Na certa, teria me decepcionado antes e não precisaria passar por tudo aquilo. Pois é, mas a empolgação me tirou a percepção de que eu podia ter feito diferente.

Nunca mais nos falamos. Ela não me procurou, nem eu a ela. **Durante meses pensei nela, durante anos lembrei dela e hoje a Lívia é apenas a memória de um momento que nunca mais esquecerei.** Um momento que me fez vivo e me fez acreditar que a vida poderia ser um conto de fadas.

Não a culpo pelo que ela fez, não posso julgar as atitudes dela. Mas posso julgar meu coração por sempre se precipitar.

Um ano e meio depois, descobri em uma festa que eles haviam se separado e que o cara a traía direto. Mas, como fazia muito tempo que nosso episódio havia acontecido, tentei parar de pensar na Lívia definitivamente após a notícia.

Até hoje, nunca entendi o lado dela. O que importa é que me recordei de todas as partes mágicas para colocar neste livro e contar para vocês. É a vida que segue!

Eu era assim, queria que o mundo me entendesse, mas nem mesmo eu me entendia. Apaixonar-se, amar... Enfim, **NÃO IMPORTA QUAIS PALAVRAS EU USE AQUI. NADA PODE DESCREVER O QUANTO GOSTEI DELA.**

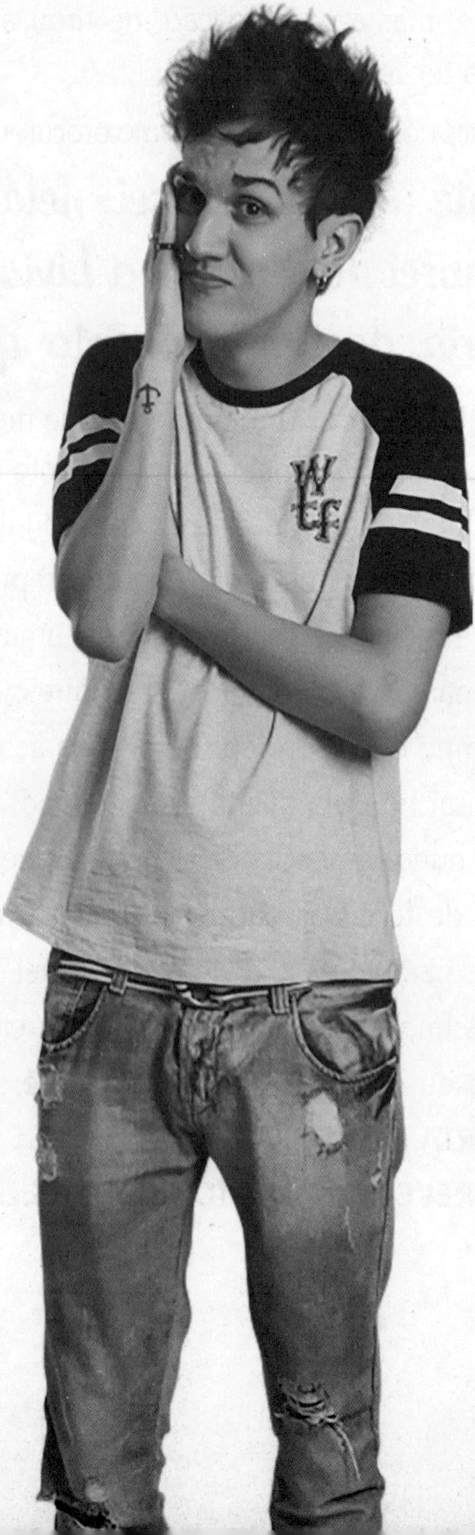

3

VOCÊS SE DÃO BEM COM SEUS PAIS?
COMO EU SEMPRE FALO, A RELAÇÃO COM MEUS PAIS SEMPRE FOI A MELHOR POSSÍVEL! ZERO COBRANÇA, CEM POR CENTO AMIZADE, COMPREENSÃO E COMPANHEIRISMO.

MAS EU QUERIA TRAZER A HISTÓRIA DE UM AMIGO. NUNCA ME SENTI CONFORTÁVEL EM CONTAR SOBRE ELE (PARA NÃO EXPOR ALGO QUE FOI TÃO DIFÍCIL NA ÉPOCA), PORÉM HOJE ME SINTO PREPARADO PARA FALAR SOBRE ISSO.

Meu amigo era o oposto de mim. Ele tinha medo dos pais dele.

AGORA EU PENSO: "MEDO DOS PRÓPRIOS PAIS?! AQUELES QUE TE CRIARAM, TE DERAM AMOR E QUE NUNCA TE ABANDONARIAM?".

Ele sempre foi meu amigo rebelde. Odiava tudo, odiava todos, mas gostava de mim e eu gostava dele.

Antes de estudar na escola que frequentei quase toda minha vida, fiz o pré, o primeiro e o segundo do fundamental numa escolinha de bairro. Nela conheci Guilherme, esse meu amigo doidinho que tinha medo dos pais.

O Gui era amigaço, do tipo que, se eu ligasse agora para ele, viria fazer alguma coisa comigo, me amparar, sei lá o quê. O moleque tinha um coração mole demais.

MAS TUDO MUDOU NA ADOLESCÊNCIA, QUANDO OS HORMÔNIOS ESTÃO À FLOR DA PELE.
O Gui achava os pais dele muito bravos, e eu concordava. Eles o proibiam de fazer tudo, o tratavam como uma criança, gritavam com ele a toda hora, levantavam a mão para ele na minha frente, sem que ele dissesse um "ai".

Eu achava os pais dele exagerados. Mas quem sou eu para falar da educação que se dá a um filho sendo que nem tenho um, não é mesmo? Sempre aprendi isso, só julgo a pessoa quando estiver vivendo a mesma situação que ela.

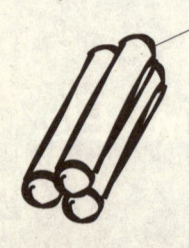

Lembro até hoje que a mãe do Gui o proibia de sair com a gente e isso o motivava cada vez mais a fazer coisas erradas. Não estou falando que proibir um filho de fazer alguma coisa faz com que ele saia por aí sendo um louco. Mas, com certeza, quanto mais você proíbe de forma autoritária e sem motivos, mais seu filho vai desrespeitar suas regras. Adolescente é assim, gosta do que é proibido. Afinal, se não é proibido, por que a gente vai fazer?

Certo dia, o Gui me ligou e me chamou para sair com os amigos dele. Ele já tinha uma turma bem grande no colégio em que estudava, mas nunca me esquecia. Todo fim de semana ele me ligava. Eu odiava sair, declinava todos os convites. Porém, depois de muito tempo sem nos vermos, aceitei.

Ele disse que o rolê seria um *esquenta* na casa do amigo dele e depois iríamos para um show. Não entendi nada, mas fui junto só por causa dele...

Cheguei à casa do Gui. Ele já estava arrumado. Na verdade, já me esperava no portão. Como meu pai havia me dado uma carona somente até ali, entramos em um táxi.

O Gui estava com uma cara de assustado. Perguntei o que estava acontecendo. Ele respondeu:

— **Se minha mãe descobre que eu saí, ela me mata!**

Eu não entendi nada, afinal, era um sábado, oito horas da noite. Na minha cabeça, o que isso tinha de mais?

Logo soube a resposta. Ele disse que estava de castigo porque havia tirado duas notas vermelhas. O Gui era MUITO inteligente. Dava problema, mas de uma coisa eu tinha inveja: quando ele fazia provas, ia bem. E isso me intrigou.

OLHEI NO BRAÇO DELE E TINHA UMA MARCA ROXA GIGANTE. Perguntei o que tinha rolado e ele mudou de assunto. Eu não queria acreditar que os pais batiam nele, afinal, com aquela idade na cara, tomando porrada de pai, não dá. Mas a marca não era de batidinha, era de pancada forte.

QUANDO ESTÁVAMOS PRÓXIMOS DA CASA DO AMIGO DELE, PERCEBI UMA BRECHA E COMECEI A ENCURRALAR O GUI. TENTEI ENTENDER O QUE ESTAVA ACONTECENDO COM ELE DO ÚLTIMO ANO PARA CÁ. DESDE ENTÃO, ELE SUGERIA TODO FIM DE SEMANA ESSES ROLÊS ESTRANHOS, E ERA O PRIMEIRO AO QUAL EU TINHA TOPADO IR. ESTAVA ACELERADO, COM MEDO EXCESSIVO DOS PAIS. MAS NÃO CONSEGUI DESCOBRIR MUITA COISA. E, QUANDO VOLTEI A FALAR SOBRE O BRAÇO, ELE MUDOU DE ASSUNTO OUTRA VEZ.

Entramos na casa do outro amigo dele. O cara era uns quatro anos mais velho do que eu e o Gui, e o lugar estava uma zona. No total encontramos seis caras, todos mais velhos. O maior devia ter uns vinte e cinco anos. Pra gente, que na época estava com mais ou menos quatorze, é muita diferença.

Entramos e fiquei do lado do Gui, com aquela minha cara de tímido perante um grupo de pessoas que eu não conhecia. Sou desses que, quando estão no meio de várias pessoas estranhas, ficam mudos. Já quando estou entre amigos, viro o capeta. Não era o caso.

Foi então que começou o *esquenta* de que o Gui tinha me falado.

MUITA bebida, narguilé, maconha e, por fim, algo que eu *NUNCA* tinha visto na minha vida: cocaína. Na verdade, não decifrei na hora nem sabia o que era aquilo.

Um dos caras tirou um plástico do bolso e jogou na mesa em que estávamos. O outro abriu o plástico e começou a fazer que nem nos filmes de máfia que eu via. Porém, estava ali, na minha frente. De perto eu me sentia desconfortável, deslocado. Fiquei bem mal.

Vendo agora, a melhor definição para aquele momento era que eu estava triste. Não sei direito o que se passou na minha cabeça, mas eram muitos pensamentos.

Senti que eles estavam fazendo aquilo como um ato de escapatória de alguma crise deles, alguma briga, algum rancor. E tudo piorou quando o Gui pegou um pouco e se juntou a eles. Meu mundo desmoronou. Notei que ele estava indo para um caminho que eu não queria desde o início que ele fosse, mas, bem lá no fundo, sabia que aquilo poderia acontecer. Era um moleque que precisava de atenção, de amor. Se juntar o fato de que ele tinha poucos amigos e o seu problema com os pais, o resultado dessa soma estava bem à minha frente.

Entendam o seguinte: eu estava ali para tentar restabelecer contato, reviver os bons momentos de amizade que tivemos, quando vi a cena dele com a cocaína. Não conseguia entender o motivo pelo qual ele precisava daquilo.

Eles me ofereceram várias coisas. Obviamente, eu não aceitei nada, e ainda estava meio espantado de o Gui sair com caras dez anos mais velhos que ele. Foi quando pegaram as chaves dos carros e nos dividimos em dois grupos, cada qual em um veículo.

Iríamos para o show. Não sabia o gênero, tampouco a banda. Por um minuto, quis voltar pra casa. Mas também sentia que o Gui estava meio perdido, tentando provar para si mesmo que aquele era o lugar certo, as pessoas certas, mas eu garanto, NÃO ERAM.

Fomos para o tal show na Zona Leste de São Paulo. Tocaram algumas bandas que nunca tinha visto na vida, mas a socialização da galera parecia compensar a todos, exceto a mim. Pois, naquele momento, me sentia megadeslocado. O pessoal era mais velho, e eu ali, do lado deles, parecia uma criança. O Gui sempre foi um pouco mais fortinho, tinha até um pouco de barba, então enganava que tinha mais idade. Já eu tinha cara de doze anos.

Por alguns instantes, fiquei a sós com o Gui.

— E aí, Chris, curtindo?

Eu respondi, meio bravo:

— Óbvio que não, cara. Você tá louco?! Cocaína?!

Ele deu risada e me chamou de cabeça fechada e ignorante.

O GUI NUNCA FOI AGRESSIVO, MAS SENTI ALGUNS DETALHES DO PAI DELE NAQUELA RESPOSTA. O PAI DELE ERA ASSIM: SECO, BRAVO, FALAVA SEM MEDO DE MAGOAR E, SE FICASSE IRRITADO DEMAIS, ELE BATIA.

Ele me pediu desculpas pela resposta e depois falou para eu relaxar.

Encontrei um lugar perto da grade de saída do show, me sentei e perdi o Gui de vista com a turma dele. Fiquei meio desesperado, pois agora eu estava totalmente deslocado. Imagina MUITA gente se trombando, bebendo, fumando, gritando, vomitando, se pegando, e eu lá, sem saber para onde ir.

Não imaginem um show de banda gringa, não... Era um show bem de bairro, meio que num pátio a céu aberto e cuja entrada custava apenas quinze reais. Sem brincadeira, tinha umas três mil pessoas ali dentro. Agora, como eu encontraria o Gui, eu não fazia menor ideia...

FIQUEI RODANDO AQUELE SHOW DURANTE HORAS. ME ZOARAM, CAÇOARAM DE MIM, ATÉ ACHEI QUE IA APANHAR, MAS NA REALIDADE ERAM SÓ VÁRIOS BÊBADOS MEXENDO

COM UM MOLEQUE QUE PERTO DELES PARECIA O IRMÃO CAÇULA. COMECEI A APERTAR O PASSO, POIS O DESESPERO BATEU AINDA MAIS FORTE. NINGUÉM SABIA DAR INFORMAÇÃO, NINGUÉM SABIA NADA... ESTAVAM TODOS EM UM ESTÁGIO DE VIAGEM. COM CERTEZA, A ÚNICA INFORMAÇÃO QUE DARIAM ERA DE COMO USAR UMA CAMA E UM TRAVESSEIRO NAQUELE INSTANTE.

Cansado, voltei a sentar em um canto do show, ou melhor, dos shows, pois não parava de subir banda, MC e sei lá o que mais naquele palco. E lá fiquei, um pouco desesperado, mas tentando me controlar.

Umas duas horas depois, comecei a ouvir vários gritos vindo do centro da galera. Muitos saíram correndo de repente. Fiquei completamente angustiado, senti um aperto no coração e posso dizer, quando sinto esse aperto, coisa boa não é. Algo me disse para ir na direção daqueles gritos. CORRI, CORRI E, QUANDO ADENTREI A RODINHA DE PESSOAS, LÁ ESTAVA MEU AMIGO, O CARA QUE VI CRESCER COMIGO, O CARA QUE JOGAVA BATATA QUENTE COMIGO NO RECREIO DO PREZINHO ALI, JOGADO NO CHÃO, DESMAIADO E COM SANGUE NO ROSTO.

Os amigos dele não estavam lá, só tinha eu de conhecido do Gui e até hoje acho que fui um anjo naquela situação, afinal, como eu aceitei o convite de sair à noite para um es-*quenta* e um show? Eu nunca toparia esse rolê. Algo me fez aceitar, ir e protegê-lo.

Levantei-o dali e comecei a gritar para alguém chamar um táxi. Pensei em pedir uma ambulância, mas, até ela chegar ali no meio, demoraria demais. Não sei se fiz o certo, mas me ajudaram a carregá-lo até o táxi, entramos e partimos para o hospital mais próximo.

Dei entrada no hospital e peguei o celular no bolso dele. Procurei o telefone dos pais e liguei. Parecia a coisa certa a fazer.

E para explicar que estávamos fora da casa dele (sendo que ele estava de castigo), na Zona Leste, em um hospital?

A mãe dele me atendeu desesperada, falando o nome do filho. Eu respondi que não era ele. Ela reconheceu minha voz e perguntou onde estava o Gui. Foi quando me toquei de que ele tinha desligado o celular durante todo o tempo, por isso ela não conseguia falar com ele... Bem típico de filhos que se sentem aprisionados pelos pais, desligam o celular e foda-se o mundo.

Eu até gostava que meus pais me ligassem, o papo era sempre tão bom que eu nem me importava.

Eis então que expliquei para ela o que havia acontecido. É claro que sem contar da primeira parte do rolê, o *esquenta*.

Ela voou com o marido até o hospital. Encontrei os dois na recepção e o pai dele partiu pra cima de mim, falando:

— Por que você trouxe meu filho pra cá? Eu vou quebrar ele!

Naquele momento, eu realmente senti raiva do pai dele.

Quando ele falou a palavra "quebrar", não me segurei:

— Vai lá, quebra ele! De tanto você quebrar, ele tá aí, quebrado pela vida, sem amigos verdadeiros, perdido e na merda! Desculpa ter que te falar isso, mas, desde que conheço vocês, percebi essa sua agressividade!

O pai dele arregalou os olhos para mim, apontou o dedo na minha cara e disse:

— Pra falar da educação do meu filho, você tem que ser alguma coisa na vida!

Ele virou a cara. A médica veio conversar com a gente. Ela nos olhou, perguntou qual era o grau de parentesco que tínhamos com o Gui e logo começou a falar.

Ela disse que ele tinha passado por um coma alcoólico, com tanta substância no organismo... Obviamente, aquele monte de coisa que ele botou para dentro antes de sairmos. Mas continuei quieto.

A mãe dele sentou na cadeira e olhou para o chão, com aquela cara de "onde eu errei?".

O pai dele pirou e começou a levantar a voz:

— **CADÊ ESSE MOLEQUE?!**

O cara só pensava em dar bronca. Ele queria brigar, bater, mostrar que era o comandante da embarcação. Não via que o filho precisava de atenção. Mas aquela situação já tinha saído do controle há muito tempo... De fato, se não desse alguma merda para chamar a atenção dos pais, poderia acontecer algo pior no futuro. E até agradeci porque isso havia acontecido quando eu estava ao lado do Gui.

O pai dele culpava Deus e o mundo. Ficou ali, gritando, e me culpou também. Mas, nessas horas, temos apenas que ouvir. É da natureza do homem achar um responsável para tudo. Sempre queremos acusar alguém por alguma condição que vivemos, por algo que nos aconteceu, enfim, sempre buscamos a culpa no outro e às vezes não enxergamos que os culpados somos nós mesmos.

Foi quando a ficha dele caiu. De tão desesperado para achar alguém a quem responsabilizar, acho que o pai do Gui finalmente se deu conta de que, no fundo, ele era o culpado de o filho estar daquele jeito. O cara se acalmou de vez, abraçou a esposa e chorou com ela.

Depois soubemos: o Gui, bêbado, havia se envolvido numa briga no meio do show. Óbvio que ele apanhou, quis brigar com marmanjo de vinte e cinco, trinta anos. Só que, enquanto todos os outros que o chamaram para o rolê vazaram, eu fui socorrê-lo.

SEMPRE FUI DAQUELES QUE DÃO A OPINIÃO UMA VEZ, ACONSELHAM UMA VEZ. OUVIU? PERFEITO. NÃO OUVIU? EU NÃO FALO MAIS. TAMBÉM ODEIO SER O CHATO QUE FICA FALANDO REPETIDAS VEZES. FALEI? FIM. NUNCA MAIS.

Algumas horas depois, a médica disse que seria legal o Gui dormir lá naquela noite. Eu me despedi dos pais dele, fui ao quarto em que meu amigo estava apagado, olhei para ele naquela situação e pensei:

"Será que ele aprendeu?"

Peguei um táxi, voltei pra casa e passei a noite toda pensando naquilo.

No dia seguinte, o Gui me ligou à noite. Agradeceu por tudo, chorou ao telefone, mas, principalmente, disse algo de que me lembro até hoje:

— Chris, você foi um anjo pra mim, cara! Se não fosse você, eu estaria lá sozinho... Obrigado por tudo! Meu pai conversou comigo, minha mãe também... Eu acho que agora as coisas vão se acertar.

Desliguei o telefone, feliz, pois nunca havia sentido uma plenitude tão grande assim.

Alguns dias depois, fui jantar na casa dele e, por incrível que pareça, as coisas haviam mudado. O pai dele estava "normal", não agia mais como um militar pronto para atacar o primeiro que discordasse dele, a mãe estava um doce e o Gui, ainda um pouco constrangido, com vergonha de ter me deixado vê-lo naquela situação. Mas, pelo menos, não parecia ter virado um dependente.

FUI EMBORA DALI COM A CERTEZA DE QUE TUDO CAMINHARIA DIFERENTE NA VIDA DELE, A PARTIR DE ENTÃO. EU NÃO TINHA MAIS O QUE TEMER PELO GUI, E SIM FICAR FELIZ!

Os anos se passaram e perdemos contato. Mas sei que hoje em dia ele está fazendo faculdade e parece bem focado.

Pra mim, não tem preço ver que tudo aquilo passou.

Uma página virada na vida de uma pessoa que eu amava como irmão.

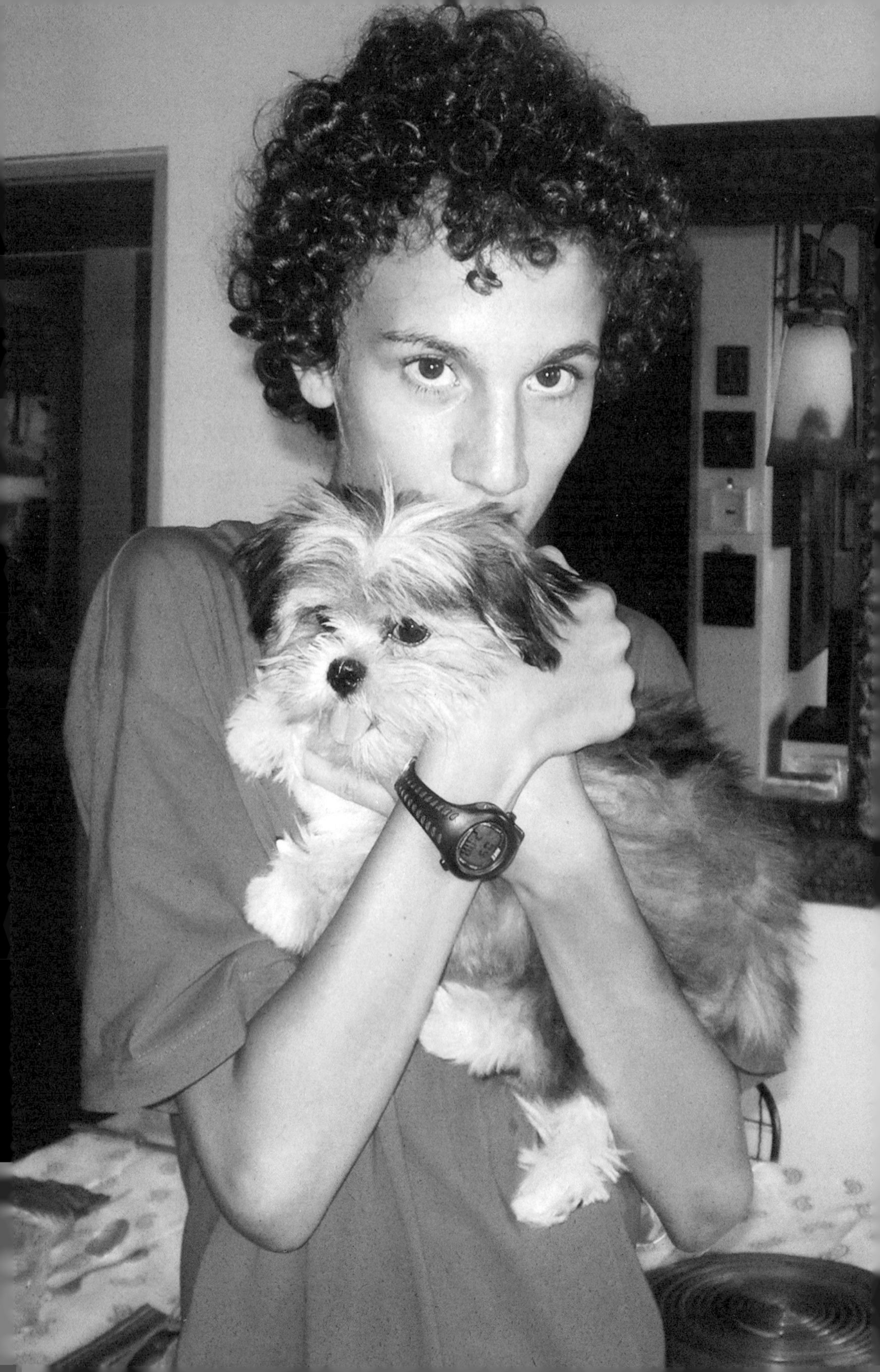

4

MINHA MÃE SEMPRE GOSTOU DE CONTAR ESTA HISTÓRIA NAS RODAS DE AMIGOS DELA.

SEMPRE TIVE UM POUCO DE RECEIO DE MINHA VÓ POR ELA NÃO GOSTAR QUE EU REVELASSE POR AÍ QUE ELA, ÀS VEZES, ERA MEIO "FORA DA LEI". MAS AS BOAS MEMÓRIAS PERMANECERAM DEPOIS QUE ELA FALECEU, ENTÃO VOU ABRIR PARA VOCÊS ESSE PEQUENO EPISÓDIO QUE PASSEI COM ELA. MINHA VÓ TINHA UMA TRADIÇÃO DE IR PRA CASA DA MINHA MÃE ME VISITAR QUASE TODO DIA. ALMOÇÁVAMOS JUNTOS, ASSISTÍAMOS A FILMES, ENFIM, ERA AQUELA VÓ QUE, EM VEZ DE FALAR PRA VOCÊ ESTUDAR, FAZIA TUDO O QUE VOCÊ QUERIA E ENTÃO, QUANDO EU CHEGAVA EM CASA DA ESCOLA E ELA ESTAVA LÁ, JÁ SABIA QUE O DIA SERIA DIVERTIDO!

Christian Figueiredo de Caldas

Em certa ocasião, ela quis me levar ao cinema.
Na verdade, eu ia mais ao cinema com ela do que com qualquer outra pessoa. Lembro que era fim de ano, as férias de dezembro estavam chegando e os shoppings lotavam por causa das festas que viriam.

Logo que chegamos, já nos deparamos com aquela fila de entrada para pegar o ticket. Minha vó começou a se estressar e a falar: "Vá à merda esse shopping!".

Entendam, a frase padrão dela era "vá à merda". Qualquer coisa que desse errado, ela soltava essa.

Pegamos o ticket, entramos no shopping e precisávamos estacionar o carro dela.

Não havia nenhuma vaga na área onde ela gostava de parar, bem ao lado da porta. Isso a enervou ainda mais. Ela dirigia supermal, era daquelas que iam ralando nos carros, esbarrando com o espelhinho, e a quem buzinasse ela mostrava o dedo do meio e falava "vá à merda!". Resumindo, ela era ÚNICA.

Ficamos rodando uns vinte minutos e nada, o shopping estava MEGAlotado!

Minha vó era tão sem noção que, do nada, no meio da rampa de subida pro segundo piso do estacionamento do shopping, ela parou o carro, puxou o freio de mão e falou:

— Desça, Christian, vamos para o cinema, senão vamos perder o filme.

Ela simplesmente tinha parado o carro no fluxo de subida e descida dos veículos. Não sabia quais eram as regras na cabeça dela, mas ali era uma vaga.

Eu falei:

— Vó, aqui não pode parar, é a rampa de subida pra outra garagem!

— Vá à merda, Christian, ande logo, senão vamos perder o filme!

Lembro que dei uma risada, saí do carro e a segui. Ela trancou as portas, descemos a rampa e nos dirigimos até a entrada do shopping. Foi a cena mais bizarra da minha vida.

Não tínhamos nem avançado direito quando um segurança do estacionamento veio até a gente e disse:

— Senhora? Vai deixar seu carro ali?

— Você acha que uma senhora da minha idade vai se dar ao trabalho de procurar uma vaga e correr o risco de enfartar no carro de tanto calor?

OUTRO PONTO QUE ELA TINHA PARECIDO COMIGO: EXAGERAVA EM TUDO! ESSE LANCE DE "MORRER", "ENFARTAR" E TAL ERA UM CLÁSSICO DELA.

— Senhora, nós temos o valet aqui no shopping, seu carro não pode ficar onde deixou.

— O valet é o dobro do preço e uma senhora da minha idade não é obrigada a pagar mais para estacionar em um shopping que ela vem há anos! Vá à merda. E vamos embora, Christian.

Ela simplesmente virou as costas para o segurança, pegou na minha mão e saímos andando.

O sujeito ficou de cara com as respostas dela, não retrucou mais e, quando voltamos, o que estava lá? O carro dela. INTACTO.

Assim que chegamos à rampa, eu disse para ela:

— Vó, eu jurava que iam guinchar o carro.

— Meu filho, shopping não tem as mesmas regras da rua, aqui a gente é que faz a regra. Entendeu?

Vó, te amo!

Saudades!!!

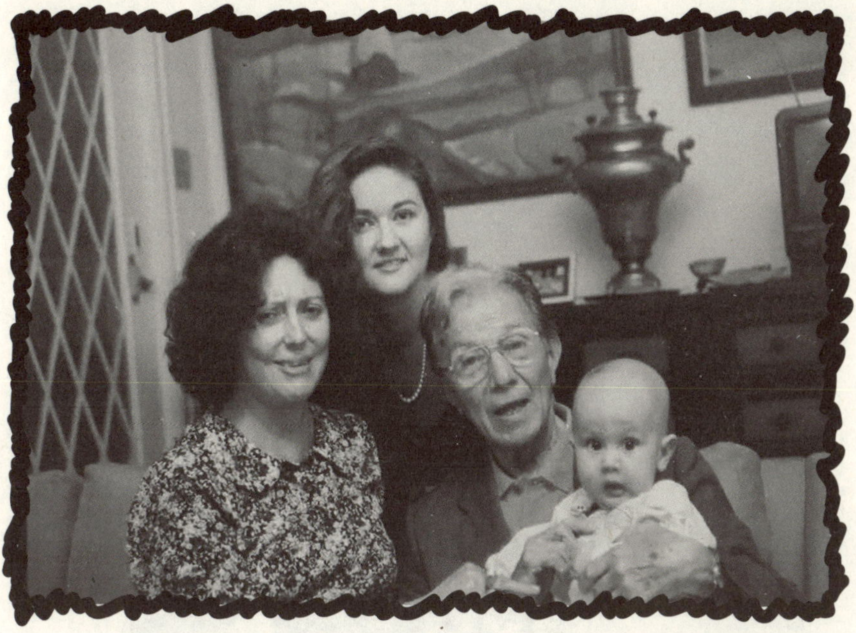

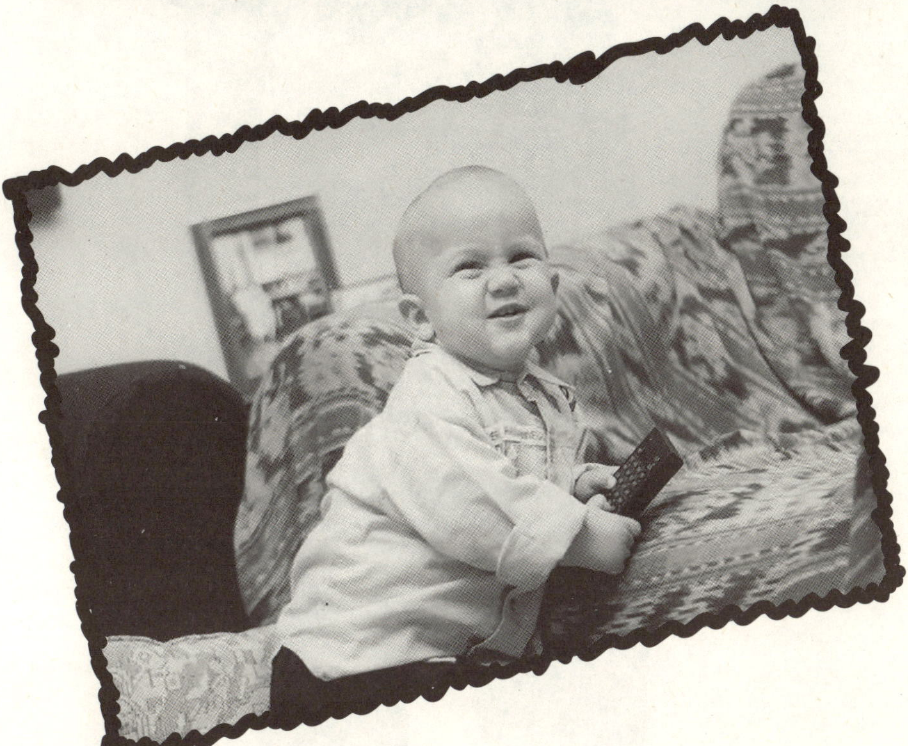

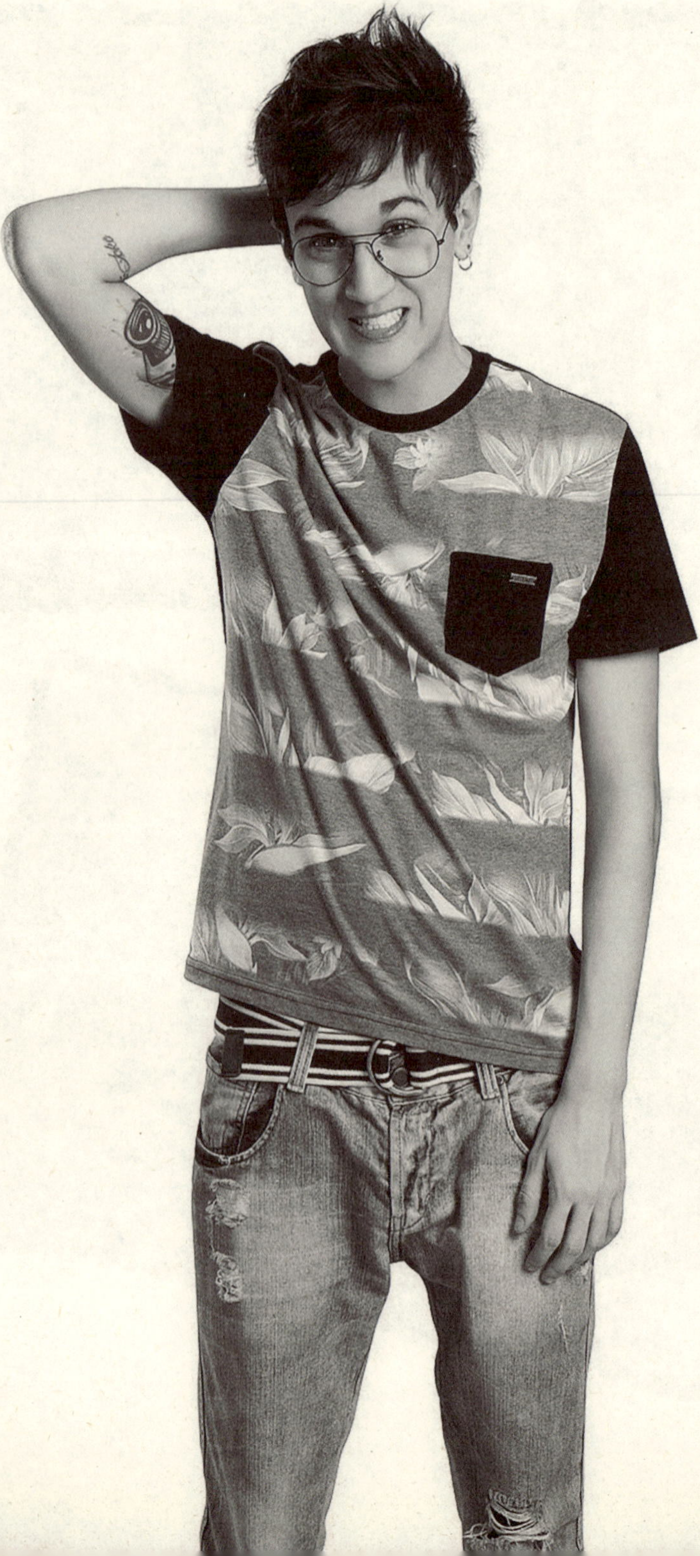

5

VOCÊS JÁ ENTRARAM DE PENETRA EM ALGUM LUGAR?

COMO VOCÊS BEM SABEM, SOU MEGA BLASTER MASTER VICIADO EM FILMES. MAS, QUANDO EU ASSISTIA AOS DE AÇÃO, PRINCIPALMENTE OS POLICIAIS, AO SUBIR AS PALAVRAS "THE END", EU QUERIA SER O GÊNIO DO FILME QUE SEMPRE FAZIA ALGO INCRÍVEL E DEIXAVA TODO MUNDO COM INVEJA POR NÃO SER ELE.

Lembro quando vi "Prenda-me Se For Capaz". Resumindo, para quem não viu: o cara se passava por quem ele queria, de ˙˙oto de avião a médico, apenas com uma ˙˙bia incrível e tudo copiado por ele mesmo.

Eu era bem novinho ao assistir esse filme pela primeira vez, e quando o fiz novamente, um pouco mais velho, as ideias brotaram!

Tive uma ideia terrivelmente idiota e que com certeza daria merda, mas eu ligava? **NÃÃÃOOOO**.

Eu queria algo grande e que envolvesse meu dom de atuação, como no filme. Queria entrar de penetra em algum evento, festa ou sei lá o quê, e, quem sabe, ser o centro das atenções. Bom, peguei algo mais palpável pra época e daí partiu minha ideia: **BOLAR UM INGRESSO DE FESTA DE QUINZE ANOS.**

Eu sempre fui um dos mais novos da minha turma. As meninas já começavam a produzir suas festas de quinze, e querem saber? Eu *NUNCA* era o príncipe ou sequer era incluído entre os quinze casais que dançavam. Quando tinha uma festa desse tipo, eu apenas ia com minha camisa amassada e feia, minha calça social dois números maior, que pertencia ao meu pai, e um sapato do filho da esposa dele. Horrível!

Como quase nunca usava roupas sociais, meus pais achavam totalmente sem sentido investir em algo apenas para eu ir a eventos desse tipo.

Naquela época, eu ficava com vergonha de aparecer "semissocial" numa festa de quinze anos, mas hoje em dia vejo como era idiota pensar assim. Realmente, onde mais eu usaria aquele tipo de roupa? Um desperdício, não é?

Enfim, minha ideia era baseada unicamente em entrar de penetra em festas nas quais eu não distinguisse ninguém, para ter toda aquela adrenalina de estar dentro de um ambiente de desconhecidos, como no filme, onde o personagem cativava um por um até domar a situação e ser o chefão da parada toda!

Bom, para um moleque de quatorze anos, minha imaginação estava indo bem longe...

Não deu outra. Lembro que em uma noite de sexta-feira, quando meu pai saiu para uma festa com a esposa dele (eu ficava um fim de semana com meu pai e outro com minha mãe... é, pais separados têm todos esses rituais!), passei horas no Photoshop. Decidi fazer isso na casa do meu pai, pois lá tinha uma impressora boa demais com cartuchos cheinhos! Por que eu tô falando isso? Vão dizer que suas impressoras sempre imprimem cem por cento? Bem, a minha nunca era assim, volta e meia estava faltando tinta, papel, ou não imprimia, dava problema... no meu pai, sempre funcionava. Parece que as coisas só funcionam na casa dos outros, nunca na nossa.

Até aí, vocês devem estar achando meu plano completamente amador, não é mesmo?

Antes de passar a noite no Photoshop, compartilhei o plano com um amigo meu da classe, Rodrigo, e ele pirou na ideia... Bom, da forma empolgante que contei, qualquer um piraria. Sempre fui muito bom para contar histórias. Já pra executar...

O plano era descobrirmos alguma festa de quinze anos que fosse rolar dentro dos nossos ciclos sociais, mas para a qual nunca seríamos chamados, pois não conhecíamos a aniversariante. Não demorou muito. Na época dos quinze, é uma festa atrás da outra... da mais cara de todas até a mais normal (que também é cara!). Afinal, cá entre nós, custa uma baita grana, pelo que sei.

Não acreditam? Lembro de uma amiga minha, muito rica. Não, na verdade, de amiga não tinha nada. Afinal, nem me chamou para ser um dos quinze que dançavam e ganhavam smoking de graça. Ela me disse que a festa dela tinha sido orçada em 150 mil reais!

CARA, CENTO E CINQUENTA MIL REAIS! Imagina? Você compra um carro de luxo por esse valor, você aplica isso e rende pelo menos mil reais por mês, você compra, sei lá, muitos livros do Christian Figueiredo! Hehehe.

Enfim, não é dela que quero falar. Tinha uma menina do Colégio Pio XII, aqui em São Paulo, que ia fazer uma megafesta. Achei o evento pelo Facebook. O nome dela era Priscila.

Se vocês não acreditam que dá pra sacar muita coisa pelas redes sociais, saibam que eu e esse meu amigo ficamos no computador por horas caçando eventos no Facebook de meninas que fossem fazer festa. As características eram: mesmo ciclo social, mas que não nos conhecessem. Meu amigo tinha pirado na ideia, tanto quanto eu.

Não deu outra. Quando vimos que seria uma MEGAfesta, eu prossegui com minha parte do plano. E qual era? Confeccionar os "convites".

Até então, meu objetivo era somente o prazer de conseguir invadir um lugar no qual não fui chamado. Já pro meu amigo, era comer de graça e quem sabe conseguir ficar com alguma menina.

NA NOITE DO PHOTOSHOP, LÁ ESTAVA EU... FRENTE A FRENTE COM UM MONITOR, MUITA TÉCNICA (SQN!) E UMA IMPRESSORA QUE FUNCIONAVA SUPERBEM. ACHO QUE A ÚNICA PARTE BOA DO PLANO ERA A IMPRESSORA QUE ESTAVA FUNCIONANDO, O RESTO TINHA TUDO PRA DAR ERRADO.

É que um convite de festa de quinze anos é sempre personalizado, com diversas texturas e afins. Geralmente, dentro de um envelope, também temático.

Então, antes de qualquer coisa, precisávamos conseguir um convite original. Para nossa sorte, meu amigo tinha um do primo dele, que fora convidado para a festa (porque foi através desse cara que chegamos ao ciclo de amigos e vimos a garota).

Digitalizei o convite dele e produzi outros dois, pra mim e pro Rodrigo. A arte ficou perfeita. Copiei as letras do próprio convite e delas fiz nossos nomes. Fiz letra por letra, sem deixar borrar o resto.

O difícil foi fazer o sobrenome do meu amigo. Tinha um "Z" lá no meio que me deixou bolado. Não tinha Z nenhum no convite para eu copiar, então precisei baixar uma fonte qualquer e utilizar no lugar... Ficou um Z bem contrastante, mas enfim, se desse errado, seria com ele. Quem mandou ter nome difícil?

Depois de MUITAS horas de trabalho, por fim decidi não imprimir. Eu havia percebido que uma impressão dessas não poderia ser feita ali, numa jato de tinta. Precisava ser numa impressora a laser, de gráfica rápida, com papel especial, exatamente como era o do convite. De qualquer forma... **PARABÉNS, PAI, SUA IMPRESSORA NUNCA DEIXOU FALTAR TINTA!**

No dia seguinte, sábado, fui a uma papelaria e comprei um papel semelhante e dois envelopes da mesma cor que o original, rosa. Garotas, quando fazem quinze anos, adoram rosa e azul-claro, já perceberam?

Depois de comprar o material, esperei pela segunda-feira.

A última parte do plano era ir com meu amigo à gráfica rápida. A festa seria na sexta, então estávamos alguns dias adiantados com tudo.

Decidimos ir a uma que ficava perto da escola. Chegando lá, entregamos os papéis para o atendente, junto do pendrive com as artes prontas.

— Você imprime pra gente o conteúdo nessas folhas especiais? Exatamente como está no documento?

Ele olhou as folhas, nos encarou e disse:

— Vão imprimir com esse negócio aqui mesmo?

Eu havia entregado, junto com os papéis, os laços e tudo mais que usaria pra fazer o convite. Dei uma risada constrangida e respondi:

— Isso aqui não, só as folhas que você vai usar.

Ele fez que "sim" com a cabeça e levou as folhas cor-de-rosa para os fundos.

Quinze minutos depois, voltou com as folhas e uma cara praticamente sem expressão. Eu, ansioso, antes mesmo de ele chegar ao balcão, comecei a perguntar:

— E aí, deu certo?!

— Cara... veja se é isso que você quer.

Ele me entregou os "convites" que estavam simplesmente... simplesmente... PERFEITOS! Não tinha erro, era uma impressão a laser que não borrava, em papel especial... Agora, só faltava dobrar!

Paguei o cara. Quando íamos embora, ele falou:

— Vão entrar de penetras em alguma festa?

Eu dei uma risada e puxei meu amigo. Sabe aquela clássica risada de: "Você acertou, mas eu não posso falar que sim"?.

Comecei a lembrar do filme que citei antes, "Prenda-me Se For Capaz", e vi que eu ainda não era um profissional completo, afinal, o Leonardo DiCaprio, que fazia o personagem principal, não precisava de terceiros para ajudar em seus planos. Ele fazia tudo sozinho, desde copiar documentos até enganar alguém na conversa... Então, se tinha algo errado em meu plano, era que tive que imprimir algo "ilegal" num local público. E, como minha cabeça era muito sistemática, mesmo com a perfeição dos convites, comecei a achar que aquilo daria errado. Foi quando comecei a me arrepender...

Dobramos o convite na minha casa e o deixamos IGUALZINHO ao original. É claro que a textura do papel, os laços e os envelopes não eram cem por cento idênticos, porém a arte e a adaptação dos nomes estavam perfeitas, a não ser pelo "Z", que se diferenciou um pouco.

A semana se passou e finalmente chegou a tão esperada sexta-feira. O dia em que usaríamos aqueles malditos convites, que me davam frio na barriga todos os dias.

Nós nos arrumamos. Meu amigo, assim como eu, não tinha roupas sociais próprias. Então as peças eram um pouco do irmão e do pai, só tinha uma camisa amarelada que realmente era dele. Eu nem vou dizer como estava me vestindo... No fim, éramos dois estranhos indo pra uma festa. Convite caseiro, roupa horrível...

O ENGRAÇADO ERA QUE O LEONARDO DICAPRIO ESTAVA SEMPRE IMPECÁVEL NO FILME, COM TERNOS QUE COMPRAVA USANDO OS CHEQUES QUE ELE MESMO CRIAVA. MEU DEUS, EU NÃO CHEGAVA NEM PERTO.

Fomos para a festa de táxi, pois não queríamos contar para os nossos pais. Vai que eles percebessem que estávamos mentindo e indo para um evento em que não conhecíamos ninguém? Apenas o primo do Rodrigo sabia da história, mas eles não eram tão próximos assim.

A porta tinha uma fila de oito pessoas para entrar. Eu olhei de longe e entendi que o segurança pegava o convite e depois conferia se o nome estava em um papel. Quando vi a tal lista, meu coração saiu pela boca.

MAS QUE SEGURANÇA ERA AQUELA? ERA UMA FESTA DE QUINZE ANOS OU A ENTRADA DE VISITANTES NO CARANDIRU?!

O cara ficava uma média de dois minutos com cada pessoa. Era um tal de pegar convite, ver nome, conferir lista, botar pulseira. E, quanto mais ele demorava, mais o frio na minha barriga aumentava.

Depois de alguns minutos, finalmente chegou nossa vez. Empurrei meu amigo pra ir na frente, mas logo lembrei do "Z" no convite dele, então coloquei-o de volta no lugar e entreguei os dois convites para o segurança.

Ele perguntou:

– NOMES?

– CHRISTIAN E RODRIGO.

– SOBRENOMES?

– FIGUEIREDO E ZILBERSTEIN.

Não precisa nem procurar o sobrenome dele, né, galera? Obviamente peguei outro sobrenome com Z para não expor meu amigo ao ridículo dessa história. Te amo, cara!

O segurança pegou a lista, olhou, olhou, olhou... e nada.

Por alguns segundos, ele procurava e fazia cara de quem não estava achando as pessoas.

Por fim, ele nos encarou e disse para a mulher ao lado dele:

— Estranho, os nomes não estão aqui... Depois eu confiro com o pai da Priscila. Bota as pulseiras neles.

Recebemos as pulseiras e... ENTRAMOS!

MEU DEUS, QUE ALÍVIO!!!

Quando vi a lista, imaginei que nunca entraríamos naquela festa. Os convites ficaram na entrada, junto com minha calça, que caiu pelo caminho, de tão pesada que estava de bosta.

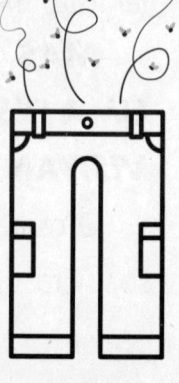

Sim, quando fico com medo é natural que me dê aquela vontade de ir ao banheiro, só que eu estava no limite... Acho que, se pudesse e tivesse mais cara de pau, ia direto aliviar o medo na privada, mas segurei e passou.

Já na festa, aquela música alta eletrônica, dois andares, com um monte de adultos no andar de cima e vários adolescentes com os quais nunca esbarrei embaixo.

Eu e meu amigo grudamos um no outro e ficamos rodando a festa. Não deu dois minutos (foi o tempo de pegar um refrigerante na área em que estavam servindo bebidas), cadê o Rodrigo?

Desapareceu.

Passei um tempo procurando por ele, quando vi que tinha chegado numa menina.

Tá aí algo que eu não conseguia fazer, como vocês bem sabem: "chegar".

Fiquei ali, na minha, tomando um refrigerante e pensando: "Sou foda".

SÓ DE ESTAR ALI DENTRO, SEM CONHECER NINGUÉM, POIS HAVIA ENTRADO COM UM CONVITE FEITO EM CASA, PRA MIM, JÁ ESTAVA DE BOM TAMANHO! AFINAL, QUEM REALMENTE CRIARIA UM CONVITE PRA INVADIR UMA FESTA DE QUINZE ANOS?

De fato, não é algo tão surpreendente. Mas não tenho nem como explicar pra vocês a sensação que eu tinha naquele instante.

Bem, como felicidade de malandro dura pouco, logo senti uma mão no meu braço...

Era um dos seguranças, que falou no meu ouvido:

— Ou você sai por bem, ou a gente causa aqui, moleque.

Gelei, congelei, virei gelo.

Não tive muito o que fazer. O cara que encostava em meu braço era duas vezes o meu tamanho. Senti que ele não queria fazer nenhum escândalo ali (nem eu, obviamente). Então, deixei que ele me guiasse de volta à entrada da festa, onde estava o segurança anterior.

Foi quando ele disse:

— Que belo filho da puta, hein? Entrando de penetra numa festa?! Eu cheguei com a aniversariante, ela nem te conhece! E quando ela viu esse convite malfeito, com o "Z" pulando pra fora?

Eu me senti humilhado e ao mesmo tempo com raiva. Raiva de mim mesmo por ter colocado aquele maldito "Z". Eu podia ter inventado qualquer nome pro Rodrigo; afinal, ninguém precisava mostrar a identidade, só tinha uma checagem numa lista e havíamos passado facilmente por ela.

Péra! Por falar no Rodrigo, onde estava ele???

Não deu muito tempo, outro segurança veio lá de dentro puxando o Rodrigo pela camisa. Ele empurrou meu amigo pro meu lado e falou:

— MAS QUE PALHAÇADA! VAZA, CARALHO!!!

Quando aquela muralha disse "palhaçada", eu já estava quase correndo. Quando falou "vaza, caralho", eu já estava na China.

Conclusão disso tudo? Voltamos pra casa de táxi, totalmente desanimados. Mas parte do Plano DiCaprio havia dado certo. Pelo menos, havíamos entrado e deu para curtir uns dez minutos de festa. Eu tomei um refrigerante e o Rodrigo conseguiu conversar com uma menina.

No final, me senti um mafioso, mas daqueles tão ruins que são pegos no começo do filme e mortos com vários tiros no peito.

Pelo menos, posso dizer que já entrei de penetra numa festa, e não foi qualquer festa!

Ô semana louca... mas valeu a pena!

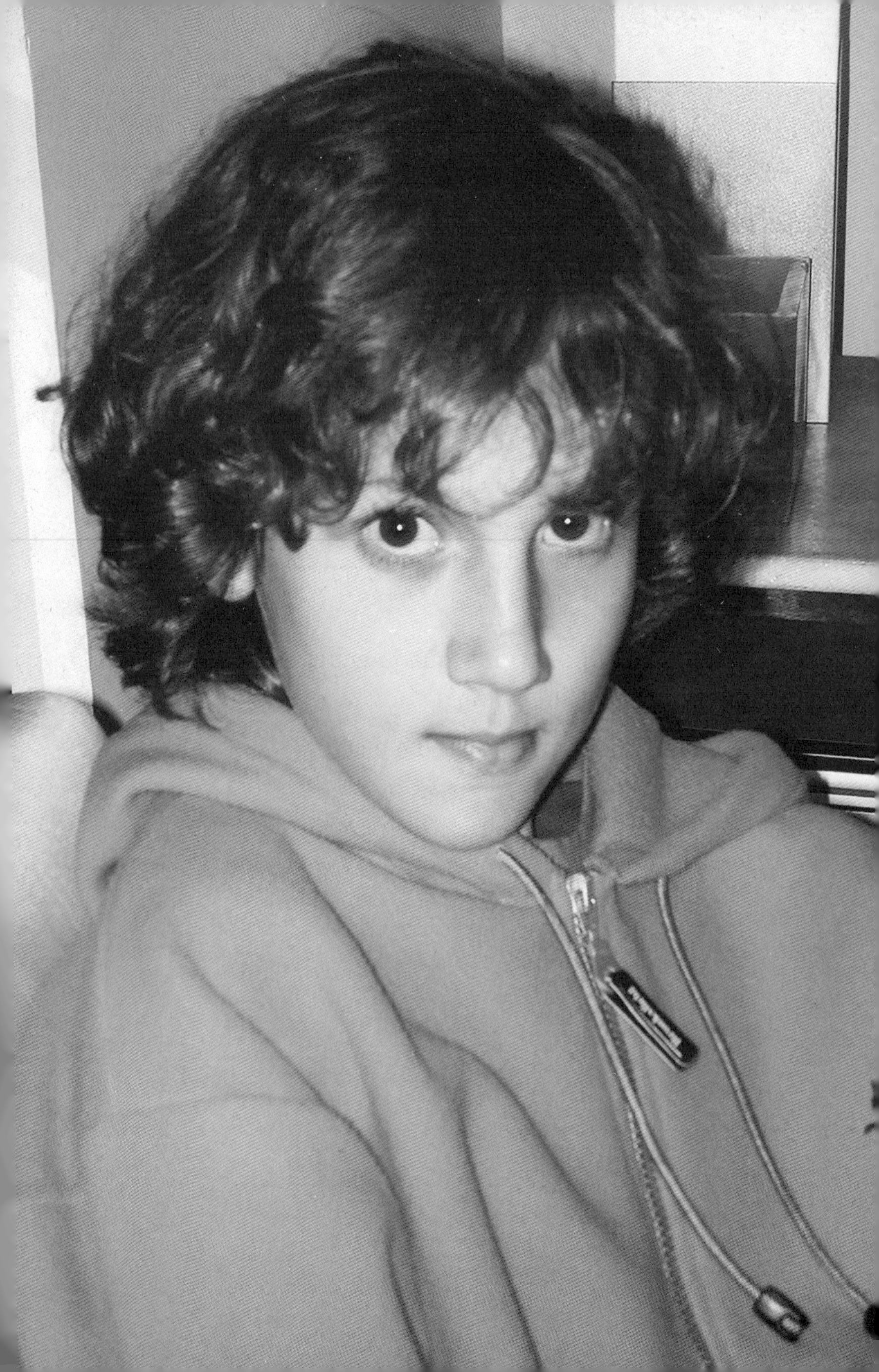

6

VOCÊS JÁ TIVERAM AQUELE MOMENTO INSANO COM OS AMIGOS?
POSSO DIZER QUE TIVE MUITOS, E VOCÊS BEM SABEM... UM DELES FOI DEPOIS QUE TIREI MINHA CARTEIRA DE MOTORISTA. DEZOITO ANOS, CARTA, AÍ É SÓ JUNTAR COM OS AMIGOS E FODEU!

Assim como eu, meu amigo havia acabado de tirar a carta dele também. Quer dizer, eu ainda tinha um pouquinho mais de tempo, três meses! Já ele estava há um mês com o documento.

Funciona assim quando se tira uma carta: pegamos uma "provisória" e ficamos com ela durante um ano. Caso você não realize nenhuma cagada nesse período, você consegue a permanente. Agora, se levar quatro pontos ou mais nela, ferrou! Você precisa fazer TUDO de novo: aulas, prova etc. Já a permanente dá direito a não ultrapassar vinte pontos, então você consegue ostentar um pouco mais nas multas.

Enfim, como eu não tinha carro, fiquei tranquilo. Não tomaria multas de forma alguma.

Mas lembro até que, no curso de direção, o professor falou:

— Vocês que estão pensando em ficar um ano parados só para pegar a permanente e depois começar a dirigir estão ERRADOS!!!

Nessas aulas eu ficava no fundão, porque o negócio realmente era chato. Mas na parte do "ERRADOS" ele deu um grito que me fez acordar.

As questões nas aulas eram tipo: "Quando a placa disser PARE em vermelho, o que significa?".

SIGNIFICA UM SOCO NA SUA CARA COM ESSAS PERGUNTAS BABACAS!

Sim, gente, as perguntas e questões são nesse nível. Não me culpem por ter dormido naquelas aulas.

Enfim, voltando ao "ERRADOS"... Ele deu aquele grito, uma risadinha e em seguida explicou que o bom motorista é aquele que pratica sempre. Se ficar um ano parado, depois é pior.

Faz sentido, mas preferi não arriscar. Não por falta de vontade, mas por falta de carro mesmo!

Eu morria de medo de treinar com o carro da minha mãe. Ela até deixava, mas vai que... sei lá! E se eu quebrasse um muro, derrubasse um prédio? Afinal, na primeira vez que dirigi com ela ao meu lado, ao invés de brecar, apertei o acelerador e fui direto no portão do prédio enquanto o porteiro abria. Ou seja, saí arrancando tudo!

Não vou nem repetir meu processo para tirar a carta porque vocês já sabem como foi. Ou melhor, quem leu o primeiro livro sabe. Quem não leu, nem queira saber.

Em relação ao meu amigo que citei anteriormente, além de receber a provisória, ele tinha acabado de ganhar um carro dos pais. Família rica é outro nível, né?

A carta dele veio com um carro daqueles grandes esportivos, na cor prata, lindo, maravilhoso. É claro que eu queria um daqueles pra mim.

ACHO QUE EU NÃO CONSEGUIRIA DAR UM CARRO NOVO NA MÃO DE UM FILHO. ACHO QUE NEM MESMO UM CARRO VELHO. OU TALVEZ NEM TER UM FILHO, PORQUE DÁ TRABALHO PRA CACETE.

No primeiro mês, ele ficava rodando o dia todo e o carro já estava todo riscado, que dó! Carro novinho, já todo surrado.

Algumas semanas se passaram e esse meu amigo (vou chamá-lo aqui de Pedro, que é o mais próximo que posso chegar do nome verdadeiro) decidiu fazer uma viagem com os amigos e, claro, isso me incluía.

Obviamente, dirigir pela estrada afora era a mesma coisa que dizer que ele realizava o sonho de pegar uma linha reta a mil por hora. **MEU DEUS! E O MEDO DE ENTRAR NO MESMO CARRO COM ALGUÉM QUE TEM SEDE DE CORRER?**

Eu tinha dezoito anos, e minha família não me impedia de fazer as coisas. O combinado era irmos para Riviera de São Lourenço, a duas horas de São Paulo. Ele tem uma casa lá. Na verdade, ele tem casa em todo lugar. Se eu conheço alguém que tem casa, é ele! Deveria ter sido batizado como Pedro Casa, ou melhor, Pedro das Casas.

OS PAIS DELE LIBERARAM A VIAGEM, COISA QUE ACHEI QUE NUNCA FARIAM. ALIÁS, EU ESTAVA REZANDO PARA NÃO LIBERAREM. PEDRO, COM UM MÊS DE CARTA, PARECIA SER UM RISCO PARA A HUMANIDADE! ERA COMO O VIN DIESEL NO FILME "VELOZES E FURIOSOS", MAS COM 300% A MENOS DE HABILIDADE DO QUE ELE.

Iríamos em quatro: eu, Pedro e mais dois amigos nossos.

Pegamos o fim de semana, pois cada um já estava em seu ritmo de aulas. Eu estava fazendo um curso de Direção de Cinema, o Pedro fazia Propaganda e Marketing, e os outros dois estavam juntos em Engenharia. Meu Deus! Tá aí uma coisa que eu não faria: Engenharia. Nunca fui bom com números.

Pedro me buscou em casa numa sexta à tarde. Joguei a mala atrás do carrão dele, cumprimentei todo mundo e *partiu Riviera*!

Eu estava sentado no banco de trás. A estrada estava vazia e, por incrível que pareça, Pedro dirigia superdevagar. Até estranhei, pois achei que ele mataria todo mundo. Mas meu amigo estava indo na velocidade limite, tranquilo, conversando... Eu me senti tão tranquilo que até cochilei um pouco.

Bom, acho que tenho um carma quando cochilo.

Não posso fechar o olho que acontece alguma coisa e eu preciso acordar. É instantâneo, eu estou acordado e nada acontece. Eu durmo e pronto, ferrou! ACORDA!

Acordei com uma brecada, bati a cabeça no banco da frente e dei um grito:

— EITA, CARALHO!!!

Eu tava mais por fora do que bunda de índio e logo perguntei:

— O que tá rolando???

O Pedro deu uma risada e falou:

— Calma, mano, vamos dar uma carona!

— Que carona???

— A menina ali atrás. Olha, ela está vindo...

Eu me virei para ver. No fim do acostamento, tinha uma garota com uma mochila nas costas. Ela não era bonita nem feia. Mas que corpão!

Só que, até ela chegar ao carro, eu tive alguns segundos para entender **POR QUE DARÍAMOS CARONA PARA UMA ESTRANHA?!**

Como sempre fui assustado, preocupado e noiado com qualquer coisa, comecei a disparar:

— Mas onde ela estava, quem é ela? É perigoso dar carona, vaza daqui!!!

Pedro viu uma mulher no acostamento, achou gata e resolveu parar porque ela estava fazendo sinal de carona. Meu amigo, como era um galinha total, viu ali uma chance de levar uma menina pra viagem.

Pelo rosto dela, eu daria uns vinte e sete, trinta anos.

Bom, pro Pedro tanto fazia. Ele dizia:

— *É MULHER? TÁ VALENDO!!!*

Clássica filosofia de quem fica bêbado em festa, pega geral e depois acha que pegou só modelo. Mas quando fica sóbrio vê os dinossauros que beijou e fica se explicando que, se é mulher, tá valendo.

A moça estava quase no carro e fiz meu último apelo:

— Cara, vaza daqui! Vamos evitar problema, você nunca deu carona, vai que ela assalta a gente, mata a gente?!

Vocês sabem, eu sempre penso no pior. Naquele momento eu já imaginava a mulher esquartejando todos nós e nos jogando num rio qualquer próximo da estrada, e depois se apoderando do carrão do Pedro.

A mulher bateu no vidro. Eu me assustei. Pedro, então, destrancou o carro.

Ela já entrou sorrindo e falando:

— Gente! Vocês são meus anjos, me salvaram! Ninguém tava parando... Meu nome é Andressa, tudo bem?

Eu pensei: "Agora ferrou, essa é a hora que ela tira a faca, corta minha jugular e eu morro".

Meio tímido, eu disse:

— Tudo bem...

NOSSOS OUTROS DOIS AMIGOS ERAM BEM ASSANHADINHOS TAMBÉM. JÁ DERAM AQUELE "OI" COM SEGUNDAS INTENÇÕES. PEDRO, POR ÚLTIMO, DEU UM "OI" COM SEGUNDAS, TERCEIRAS E QUARTAS INTENÇÕES.

Ela sentou no banco de trás, comigo e com outro amigo. Me empurrou pro assento do meio, aquele onde ninguém quer sentar. E lá fiquei espremido, achando que ia morrer.

Um dos caras falou:

— A gente tá indo pra Riviera... e você?

— Vou para onde vocês forem, de lá pego ônibus na rodoviária.

Quando ela disse isso, pensei:

"Clássica resposta de serial killer. Tá lá, não sabe pra onde vai, mas tem certeza apenas de uma coisa: que vai matar geral e depois beber o sangue no jantar."

Eu estava com muito medo! Meu pai sempre disse que o sistema de carona no Brasil não funcionava, não era costume do povo. Desde então, aprendi que não se dá carona. E quando o Pedro parou para a mulher, meu coração foi pra boca!

Andressa começou a se soltar e a falar com a gente:

— Então, meninos, acho que vocês estão curiosos pra saber de onde eu vim, né? E o que estava fazendo lá atrás, sozinha...

Todos concordaram.

— Terminei com meu namorado voltando pra São Paulo. Foi uma briga feia! Mandei ele parar o carro e desci na estrada mesmo.

Pensei, então:

"Nossa, só isso? E a faca? Os plásticos para ensacar a gente depois de nos matar?"

Comecei a acreditar que ela não era uma serial killer. Depois que ela contou aquilo, fiquei totalmente aliviado, era só uma mulher que brigou com o namorado e que agora estava ali com a gente.

Porém...

Ela parecia muito bem pra quem havia brigado. Conversava rindo e falando besteira.

Quando vimos, todos estávamos nos divertindo a caminho de Riviera, e eu, mais tranquilo.

Papo vai, papo vem... ela pegou o celular e dali não saiu mais. Ficou quieta, dedilhando na tela, sem conversar conosco.

Isso durou um tempão. Eu e os caras continuamos falando um monte de asneiras, e ela nem aí pra gente.

Até que, do nada, ela disse:

— Vocês podem parar um pouco? Preciso fazer xixi...

Era no meio da estrada, não tinha posto nem nada. Eu achei muito suspeito e meu "pé atrás" voltou a predominar. Só que o Pedro não parecia ter o mesmo pensamento que eu.

Gentilmente, ele parou o carro no acostamento. Andressa desceu. Depois, ela foi para trás do carro.

Ficamos ali, esperando e conversando baixinho. Até que, enfim, um dos nossos amigos falou:

- ESTRANHO, NÉ?

- O QUÊ?

- ELA TÁ DEMORANDO.

Eu queria dizer que achei estranho logo que ela pediu para parar. Mas fazer o quê, né?

Ficamos ali, esperando, esperando, esperando... O xixi já estava mais pra cocô, pela demora. Foi quando ela gritou:

— Já vou, gente!

— Ok! — gritamos em resposta.

Mais três minutos se passaram e nada. De repente, ouvimos outro carro encostando atrás do nosso. Foi quando meu coração disparou. Fiquei suando frio e falei:

— *PEDRO, TRANCA AS PORTAS E ACELERA ESSA PORRA!!!*

Meu amigo, clássico "valentão" da turma, deu uma risada e disse:

— Calma, Chris, é só um carro velho... deve ter quebrado alguma coisa.

De dentro do carro, saiu um cara de boné e óculos escuros. Eu fiquei olhando pelo vidro de trás, meio abaixado, pois jurava que, se levantasse a cabeça, tomaria um tiro.

A Andressa já havia sumido de trás do carro. Foi quando eu falei:

— Mano, a garota desapareceu e o cara tá vindo em direção ao carro! Vaza logo!!!

Finalmente os outros dois pastéis concordaram comigo e começaram a fazer coro:

— **VAZA, MANO, VAZA!!!**

Pedro, como um daqueles valentões que saem pra ver o que está acontecendo na casa mal-assombrada, achando que vai dar porrada em *serial killer*, desce do carro e grita:

— Andressa?

De trás do carro, ela se levanta e fala:

— É só vocês ficarem de boa que nada vai acontecer!

O cara de boné e óculos acelerou o passo e disse:

— Fica aí, playboy!

Bom, o valentão não era tão valentão assim. Assim que o cara acelerou o passo, Pedro ajoelhou no chão e começou a gritar como uma menininha:

— Desculpa, desculpa, desculpa!

Logo pensei:

"Desculpa? Desculpa pelo quê, não é mesmo?"

Christian Figueiredo de Caldas

Bom, nesse momento, minha cabeça já estava a mil! Um dos meus outros amigos, borrado de medo, tentou fechar a porta do carro que o Pedro tinha deixado aberta. Não deu nem tempo! O cara segurou a porta com a mão, colocou a cabeça pra dentro do carro e gritou:

— VAZA TODO MUNDO DESSE CARRO!!!

Bem, não eram só meus amigos que estavam borrados. Eu estava muito pior do que eles. Meus joelhos tremiam tanto que pareciam ser feitos de molas! Ainda assim, eu consegui descer.

Fiquei imaginando o que poderia acontecer de pior ali...

Pedro estava completamente alucinado, ajoelhado, suando frio e falando bem rápido:

— Meu Deus, meu Deus, leva tudo, só não me mata. Não me mata, não...

Fiquei encarando a cena. A mulher filha da puta (que provavelmente nem se chamava Andressa) era só uma golpista. Assim como eu, ela acompanhava a cena e deixava o cara fazer tudo. Enquanto isso, ele mandou todos nós sentarmos no acostamento sem movimentos bruscos, olhando para baixo.

O cara se enfiou no carro do Pedro e começou a tirar coisas de dentro. Eu dava umas espiadas, mas não queria me arriscar a, sei lá, ter a cabeça estourada. Mas, até então, a dupla golpista ainda não havia mostrado arma alguma.

Eis, então, que o cara abriu o porta-malas.

Foi quando bateu uma dor no coração. Ele ia roubar tudo, eu estava certo de que isso ia acontecer.

Eu estava levando pra viagem: notebook, iPod, roupas favoritas... Só pra adiantar um pouco: depois disso, nunca mais tive um iPod. Acho que foi o trauma de perder um de um jeito tão idiota... dando carona pra alguém! Pelo menos, não tinha perdido a vida, não é?

Resumindo: ele pegou todas as nossas malas, as coisas do Pedro de dentro do carro e gritou pra gente:

— Fica esperta aí, cambada!!!

Mas meu amigo não obedeceu, e tentou olhar pra ele. Foi só ele levantar a cabeça que tomou uma paulada com alguma coisa no cocuruto:

— Olha pra frente, caralho!!!

Então eu me assustei de verdade. Tinha começado a violência. Eu estava achando o bandido muito bonzinho até ali, mas tinha que ter uma maldade, né? Filho da puta!

Ficamos olhando pro chão até que ele pediu as carteiras, relógios e celulares da gente. Meu coração pesou mais ainda, meu Deus! Perdi todos os meus eletrônicos em minutos!

Ele pegou tudo, botou dentro de uma mochila e disse:

— Seguinte, cambada, a chave do carro tá aqui. — Ele a arremessou do outro lado da estrada. — Se eu vir movimentação, meto bala. Falou, caraaiii?

Eu o ouvi sair correndo. Não sei o que me deu, mas desobedeci à ordem dele e procurei o bandido. Estiquei o pescoço e o vi chegando no carro que estava um pouco atrás do nosso.

Lá dentro já estava a Andressa, ou sei lá qual o nome daquela vaca.

Ele entrou no carro, jogou a mochila no banco de trás e saiu rasgando com o carro. Ainda buzinou pra gente, que merda!

Não estava acreditando, a gente tinha mesmo caído no truque do golpista de estrada? Ou fosse lá o que eles fossem... Até então, eu estava branco de medo, suando e pensando: "Perdi todos os meus eletrônicos!". Eu continuava travado ali, ajoelhado. Meus amigos, nem se fala, então. Estavam mudos, ainda olhando pra baixo.

Disse pra eles:

— Galera, eles já foram! Levanta aí, vamos vazar daqui!

A ação do cara e da Andressa não durou mais que dez minutos. Foi tudo tão rápido que todos nós ainda assimilávamos o que tinha acontecido de verdade.

Mas eu, como um bom alertador, pensei:

"Eu AVISEEEEI!"

Ninguém me ouve, dá nisso! Obviamente que, numa situação daquelas, a vontade é de falar, mas achei que seria muito filho da puta fazer isso com meus amigos.

Atravessamos a estrada, pegamos a chave do outro lado e voltamos para o carro.

Não pensem numa estrada gigante, tipo uma *highway*. Era uma descida de duas pistas, com um miniacostamento de cada lado. Movimento zero e obviamente o local perfeito para aquele golpe.

Tudo explicado agora, aquela vontade louca dela de mijar no meio da estrada, que ódio!

Eu tinha passado medo, raiva, angústia, nem sei quais sentimentos carreguei naqueles minutos. Ah, e tinha fome, também! Não importa a ocasião, a fome nunca desaparece.

Entramos no carro do Pedro, ele ainda meio paralisado com o acontecimento. Nem acertava o buraco da chave; batia, batia e a chave não entrava... Ele ficava mirando pra frente com um olhar traumatizado.

Posso brincar com isso hoje em dia, mas, quando aconteceu, foi um choque para todos nós. Mas como não canso de pensar: *"EU AVISEI!!!"*.

Enfim, ele acertou a chave na ignição, ligou o carro e saímos dali. Na verdade, o Pedro deu meia-volta e começou a pegar a estrada para São Paulo. Ninguém questionou; afinal, clima zero para Riviera, né?

Um dos meus amigos falou:

— Porra, por que demos carona praquela vadia?!

O outro disse:

— É, Pedro! Tanta menina pra pegar em Riviera e você quis dar carona pra uma bandida!

Aí entramos na questão: o ser humano SEMPRE vai buscar alguém pra culpar.

Ficaram naquela de um culpar ao outro, e eu ali, quieto... Mas quer saber? A carne é fraca. Todos se xingando e eu saí do meu silêncio:

— **Eu avisei, Pedro, EU AVISEI!**

Ele começou a mandar todo mundo se foder, e assim foi até acharmos um posto policial de estrada. Ele parou o carro e saímos correndo para falar com alguém.

O policial, muito calmo, nos atendeu e perguntou o que havia acontecido. Contamos a história detalhadamente. Ele continuava com a mesma cara do começo da história. Como pode? Nada impressiona um policial, né, não?

Uma mulher com capacidade para enganar jovens e depois assaltá-los com o amante dela, parece cena de filme...

Imaginem quatro moleques tentando explicar para um policial que demos carona para uma mulher e depois um cara parou, nos roubou, bateu na cabeça do nosso amigo e carregou tudo que tínhamos. Cada um contando de um jeito, um gritava, o outro pedia para chamar os pais, o outro chorava... Meu Deus! Que confusão.

Até que o policial falou:

— Entendo. Creio que são os mesmos golpistas de um caso da semana passada. Mesma coisa: mulher bonita na estrada, jovens dão carona... Eles não prestaram a queixa aqui neste posto, mas foi repassado pra gente o perfil do casal.

ENFIM, PAPO VAI, PAPO VEM... FICAMOS ALI SENTADOS MAIS UM POUCO, FIZEMOS O B.O. E SEGUIMOS PARA A CIDADE.

Pedro não deixou ninguém em casa, fomos direto pra casa dele e lá contamos a história novamente pra mãe dele, que entrou em desespero. Ligou para o pai dele, que também voltou pra casa e ficou em choque.

Resumindo, havíamos contado a história três vezes em menos de três horas...

Passamos o fim do dia todo na casa dele, repetindo a história para as respectivas famílias, amigos... Já tinha até decorado o que cada um falava. Teve até post no Facebook do Pedro, contando o ocorrido. Adolescente adora expor as coisas, de alegrias a tragédias, expomos tudo! Faz parte.

Enfim, os meses se passaram e, pelo que sei, nunca pegaram essa dupla da estrada de Riviera. Na verdade, eles deviam fazer esse esquema em todo lugar! Cidade, estrada...

Tenho que admitir que o negócio era bem bolado. Tão bem bolado que fiquei sem notebook, iPod, roupas...

O pior de tudo é tirar a documentação novamente, que inferno! Não quero nem relembrar da parte chata disso tudo. Prefiro ficar com a trágica mesmo.

Moral disso tudo?

OUÇAM SEMPRE O AMIGO MEDROSO QUE FALA: "CUIDADO, NÃO FAZ ISSO!".

Porque depois você pode confirmar que ele estava certo e vai ficar falando "eu avisei" como eu fiquei, enchendo o saco do Pedro durante meses.

Ah, outra moral: não deem carona para mulheres gostosas na estrada. **É treta!**

PROCURADO

EL LOKO

RECOMPENSA
$0,000,000,000

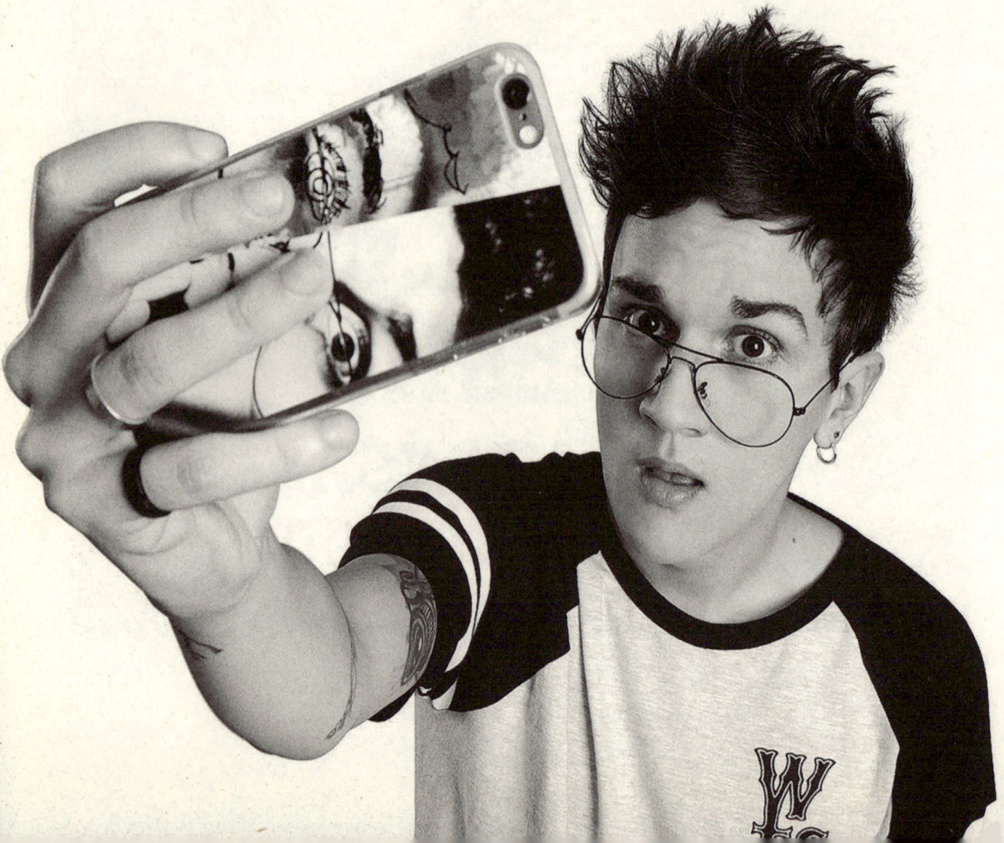

7

ADOLESCÊNCIA, AMIGOS, BEBIDAS... A COMBINAÇÃO PERFEITA PARA DAR MERDA!

NÃO POSSO DEIXAR DE CONTAR UM DOS EPISÓDIOS MAIS LOUCOS DA MINHA VIDA. FOI UMA MISTURA DE FILME DE TERROR COM AQUELE PRIMEIRO PORRE QUE TIVE COM MEUS AMIGOS, NO QUAL TEVE DENTE QUEBRADO, AMIGO ATRAVESSANDO VIDRO E QUASE ALGUNS COMAS ALCOÓLICOS.

Além dos amigos da escola, eu tinha uma turma que eu considerava muito, mas, na verdade, posso dizer que eles eram apenas colegas.

Quando numa relação ainda existe aquela questão do respeito, não é amizade cem por cento. Sabe quando a pessoa vai zoar com a sua cara, não perde a chance de tirar uma com você, mas se segura porque acha que você vai se ofender ou ainda não se sente confortável para fazer essas coisas?

Então, isso ainda é "coleguismo". **Amizade é aquela que, deu uma brecha, a gente zoa nosso amigo sem parar!**

Dessa turma, apenas um deles é meu amigão, um irmão que não é de sangue. Eu o conheço desde os meus três anos de idade e todos estudávamos juntos. Quando meu amigo fazia churrascos ou eventos grandes na casa dele, eu acabava socializando com essa galera.

Não sei o que acontecia, mas as pessoas iam tanto com a minha cara que me chamavam sempre para sair, viajar, e então veio o convite que resultou neste capítulo.

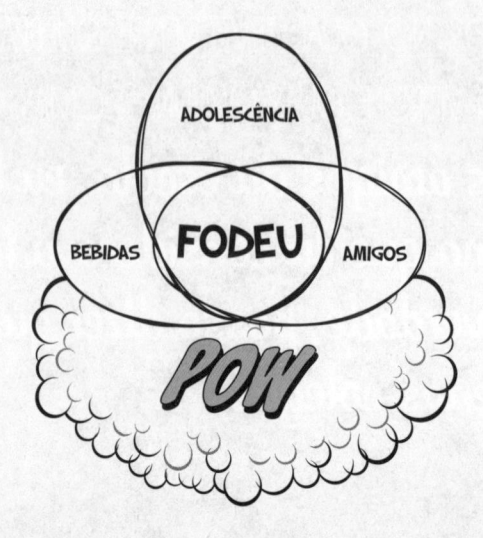

Meu amigo-irmão certo dia me ligou e disse que os amigos dele estavam marcando de viajar para Limeira. Um deles tinha casa lá e nela cabiam até oito pessoas. A viagem teria a companhia de garotas, metade do grupo. Seríamos quatro meninos e quatro meninas.

Sucesso!!!

Mas, do jeito que eu era, poderia viajar com sete, dez, vinte ou oitenta garotas, que eu não tentaria ficar com nenhuma. Meu medo de ser dispensado era tão grande que eu preferia ficar na minha a levar um fora.

Meu receio não era nem a garota em si, mas levar um "não" e depois ficar complexado, achando que não era bom o suficiente para alguém.

Bem, viajamos num feriado de 12 de outubro, lembro até hoje do dia. A mãe do dono da casa em Limeira nos levou até a rodoviária, alguns foram direto, e de lá partimos.

Sim, casa liberada! Não iria nenhum adulto conosco. Mas minha dúvida, no fundo, era: o que tinha pra fazer em Limeira?

A viagem foi curta, nem duas horas. Chegando lá, ainda tivemos que ir em dois táxis para a casa dele, que era meio longe da rodoviária.

Pra essa viagem, até que a galera estava bem tranquila. Ninguém estava falando em beber até cair, em fazer competição de *shot* de tequila... Essa turma era mais "de boa". Achei-os mais adultos que meus amigos.

ENGRAÇADO ISSO, NÉ? SÃO MILHARES DE TURMAS COM AS MESMAS IDADES E CADA UMA TEM UM RITMO DE CRESCIMENTO. TEM TURMAS DE QUATORZE COM APARÊNCIA E ROLÊS DE PESSOAS DE VINTE, E TURMAS DE QUATORZE COM APARÊNCIA E ROLÊS DE PESSOAS DE OITO!

Essa galera tinha uns papos sobre o que fazer no futuro, falavam muito de escola... Resumindo, eram meio nerds.

Bem, eu odiava falar de escola e do que seria do futuro com meus amigos. Quando eu estava com eles, queria curtir e falar besteira.

Como esses "colegas" falavam demais de escola, já no segundo dia de viagem comecei a ficar entediado. Caiu a ficha que dava pra ir a um churrasco ou sair pra jantar com eles, mas viajar juntos não tinha nada a ver.

O único que se salvava ali era meu amigo-irmão, que até vou chamar aqui pelo nome verdadeiro, porque sei que ele nunca vai me processar, né, Daniel? Ou Dani, como eu sempre te chamo.

No terceiro dia de viagem, já completamente entediado, vi que não rolaria nada de interessante. **Mas, como sou pé-frio, comigo sempre precisa acontecer algo que marca, né?**

Até ali não havíamos feito nada de excepcional. Durante o dia ficávamos na piscina, no final da tarde andávamos pela cidade (que não tinha muita coisa) e à noite alguns ficavam assistindo a filmes, outros jogando videogame e as meninas, conversando. Aliás, eram elas que salvavam o grupo, pois puxavam os meninos para fazer as coisas. Se dependesse deles, seria videogame o dia todo.

Ficaríamos em Limeira sete dias, quando a coisa mudou completamente. O dono da casa comunicou a todos que à noite sairíamos para um lugar bem legal! Por ele, era dia de beber!

Quando falavam em beber, eu já imaginava geral dando PT (perda total).
Porém, se em três dias ninguém chapou, não seria no terceiro que tudo mudaria. Até porque sentia que aquela turma não era muito da bebida.

Todos se arrumaram e partimos andando para esse "lugar bem legal" do qual o dono da casa tinha falado. Quando deu uns vinte minutos de caminhada, comentei com a galera:

— Já estamos chegando, gente?

Alguns falaram: "Não use a palavra 'gente', pois não temos a mínima ideia de aonde ele está nos levando!".

O dono do rolê disse:

— Se liguem naquela casa no fim da estradinha...

Sim, estávamos numa estradinha superestreita do lado de um matagal que já estava me dando coceira de tanto mosquito que me picava. Vi que o rolê, no final das contas, estava completamente miado.

A estradinha era beeeeem escura e a única luz que eu via ali era a da lanterna que ele carregava.

Ao nos aproximarmos do local, nós nos deparamos com um portão gigante de ferro, daqueles com lanças na ponta para proteger. Lá no fundo tinha uma casa enorme, mas com cara de abandonada. Foi então que o "dono da festa" gritou:

— **HOJE TEM, GALERA!!!**

Logo pensei: "Tem o quê? Nada, né...".

Foi então que uma luz se acendeu na nossa cara, logo em frente. Era um carro, e dele saíram mais quatro garotos totalmente animados!

Eles estavam com várias sacolas na mão e, pelo que reparei, eram cervejas e garrafas de vodca. Vi que começaram a andar em direção ao portão. Um deles empurrou e abriu facilmente.

O pessoal do meu grupo não estava entendendo nada. E então, nosso amigo que agitou aquele rolê falou:

— Vamos entrar, galera! Sempre que eu venho pra Limeira, a gente fica embaçando pra entrar nesse terreno. Agora que a gente está em bando, vai que vai!

Eu, como o cara assustado e que vê erro em tudo, pensei:

"Isso com certeza vai dar merda, invadir uma casa pra beber... Qual o sentido?"

Nessa hora eu preferi ter ficado na casa dele jogando videogame. Quarenta minutos de caminhada para no fim das contas invadir uma casa? Que furada!

Poxa, pra mim cairia melhor uma pizza... uma coxinha... uma porção de pastel... não uma invasão de casa no meio de uma estrada escura no interior de São Paulo.

Todos nós entramos. Eu me aproximei do Dani e perguntei:

— Cara, não vai dar B.O. entrar aqui???

Ele me olhou com um sorriso nervoso e respondeu:

— Já assistimos a tantos filmes de terror juntos que, se der merda, pelo menos a gente sabe como fugir daqui!

SE TEM UMA COISA QUE EU E O DANI FAZEMOS QUANDO NOS ENCONTRAMOS E FICAMOS DE BOBEIRA É VER FILME DE TERROR O DIA TODO COM UM BELO BALDE DE PIPOCA E MUITO REFRI.

Vai que nesse terreno meio abandonado surgisse um assassino com uma serra elétrica para matar a gente... Nunca se sabe!

O "dono do rolê", como estou chamando o cara, explicou melhor lá dentro que queria entrar naquele terreno abandonado havia tempo e dar um ótimo social macabro com os amigos. E bota macabro nisso!

Só não entendi o que ele queria fazer, beber no jardim daquele terreno antigo ou invadir a casa mesmo. Foi então que ele e os quatro caras que surgiram depois foram andando na frente até a casa.

O terreno era completamente descuidado. Quem mais estava cagando de medo eram as quatro meninas. Elas estavam abraçadinhas, numa mistura de frio e medo.

Chegando à frente da casa, subimos uma escadinha até a porta de entrada. Eu segui o fluxo, mas estava achando aquilo tudo um absurdo!

INVADIR UMA CASA, MEU DEUS!!!

Sabe aquelas escadas onde, quando pisamos, começa um rangido? Então... aqueles três degraus que levavam à porta faziam esse barulho, era assustador!

Um deles tentou abrir a porta que estava fechada. Outro achou uma brecha: a janela da frente, entreaberta. Ele conseguiu levantá-la um pouco e pulou pra dentro da casa.

Tudo foi tão rápido que nem me dei conta de que eles tinham conseguido entrar lá. Na verdade, era apenas um deles, que se jogou pra dentro da casa e ficou em silêncio. Obviamente aquela piadinha babaca de adolescente de sumir e depois assustar todo mundo com um barulhão.

Não deu outra, um minuto depois ele deu um chute na porta pelo lado de dentro e fez as garotas pularem de medo. Bem, os caras também, inclusive eu.

Ele não conseguiu abrir a porta, mas logo botou a cara para fora da casa e falou:

— Galera, vem pela janela, aqui dentro tá sussa!

O que era o "sussa" pra ele, eu não sabia, nem conhecia o cara... Vai que o "sussa" dele era uma casa cheia de teias de aranha, ratos, gatos pretos andando por todos os lados e muitos espíritos malignos.

Um a um, pulamos pela janela, os oito do nosso grupo e os outros quatro.

Lá dentro, nós nos deparamos com uma casa bem velha, toda trabalhada na madeira e obviamente abandonada. Me deu um calafrio só de estar ali. Como tenho rinite, comecei a espirrar sem parar! Só que, de fora, eu achava que ela estaria pior por dentro, mas não estava tão malcuidada assim.

Foi então que começou a música! Um dos quatro caras plugou um iPod numa caixa de som portátil e colocou logo uma música eletrônica bem pesada!

O outro abriu as sacolas e saiu oferecendo as cervejas... As meninas, que antes estavam com medo, começaram a se sentir mais à vontade.

Como eu não costumava beber, depois da primeira latinha eu já estava meio alegrinho, ainda mais de barriga vazia. Era algo que eu fazia apenas para me "socializar"!

Eu avisei, o rolê tinha que ser pizzaria, e não invadir casas.

Bom, mas, como sabia meus limites, eu parei por ali. Depois da lata de cerveja, fechei a boca e não cheguei a sair de mim. Porém, a galera avançou. O Dani nem tinha acabado a terceira latinha e já estava abrindo a vodca.

As meninas beberam vodca também, e os nerds que pareciam tão pró-videogame começaram a chapar totalmente. Até me surpreendi.

Estávamos sentados em rodinha, as bebidas do lado da porta da casa. As meninas de um lado, os meninos do outro e eu ali, no meio de todos, entre elas e eles. É sempre assim. Dos mais novos aos mais velhos, as garotas sempre vão para um lado e os garotos para o outro. Isso não muda nem com a idade.

Todo mundo já estava meio bêbado quando ouvimos um barulho de portão batendo. Obviamente, era o portão de entrada da casa. Foi uma batida forte de grade, seguida de um barulho de correntes.

Abaixaram a música. Um deles levantou e foi engatinhando até a janela ver o que estava rolando.

Todos começaram a rir da cena: o ser que engatinhava estava tão bêbado que foi caindo pros lados até chegar à janela. Ele olhou pra gente depois de espiar e disse:

– **ACHO QUE FODEU!**

E logo começou a rir sem parar.

A palavra "fodeu", vindo de um bêbado, pra mim, não tem a mínima graça.

A risada dele não amenizou o significado do "fodeu", só me deixou com mais medo ainda do que tinha acontecido.

Eu, como era o único sóbrio da noite, levantei e andei até a janela, afinal, não era o James Bond pra ficar engatinhando como espião pelo chão, até porque aquele chão me faria espirrar ainda mais.

Achei que o portão estivesse fechado, mas, como ele era bem distante da casa, não dava pra ter certeza. Porém, como o barulho foi bem alto, todos sabíamos que o som tinha vindo dali.

NÃO DEU OUTRA, FUI CONVOCADO PARA INVESTIGAR O QUE TINHA ROLADO. ESCOLHERAM O MAIS SÓBRIO PARA IR LÁ MORRER NAS MÃOS DE ALGUÉM.

Saí pela janela, desci pela escada que rangia e andei até o portão. Eu estava me cagando de medo. Era sereno, cigarras cantando, escuro e muito frio!

Chegando ao portão, me deparei com o "fodeu". Realmente, não deu outra: alguém trancou o negócio com uma bela corrente e um cadeado de oito mil anos de idade. Sabe aqueles grandões que já estão meio enferrujados? Nem com um tiro aquele cadeado quebraria, parecia blindado.

Mexi e remexi naquilo e nada. Conclusão? Estávamos presos num terreno que invadimos.

Quem fechou a gente ali? Mistério total!

Voltei correndo para a casa, entrei pela janela e dei um corte em todos que estavam pulando com a música, gritando, rindo e bebendo vodca pura.

— Galera, fodeu mesmo! Alguém trancou a gente aqui dentro!!!

Ninguém me levou a sério e continuaram fazendo o que estavam fazendo: **NADA DE INTERESSANTE.**

Minha noite tranquila e menos tediosa daquela viagem acabou virando um pesadelo. Eu queria tentar ficar com uma das garotas, relaxar um pouco, mas, pelo visto, estava com um monte de bêbados que não entendiam o fato de que havíamos ficado presos naquela casa.

Eram quase quatro da manhã quando uma das meninas começou a vomitar no meio da casa. Ela berrava coisas sem sentido, chorava... meu Deus!

A menina vomitou umas três vezes e falou:

— *Tô mal, tô mal... quero dormir.*

Ela falou aquilo bem pra dentro, mas todos entenderam que estava na hora de encerrar a festa. Eu nem comentei de novo sobre o portão fechado, preferi ficar na minha. Até porque achei que o dono do rolê tinha alguma saída especial daquele terreno.

A galera juntou as coisas e, um por um, saímos pela janela. Dessa vez demorou mais, pois eram vários bêbados tentando pular por um vão minúsculo.

Depois que todos saltaram e a menina que deu PT se estatelou no chão, seguimos até o portão. Lá começou o desespero de verdade.

– MEU DEUS, POR QUE NÃO ABRE?!

– TÁ FECHADO!!!

– FODEU!

– EU QUERO DORMIR!

Cada um falava uma coisa... mas, no fim, todos ficaram iguaizinhos a mim, uma hora antes, quando vi que o portão havia sido fechado.

O Dani, que estava bem bêbado, veio até mim e falou:

— Chris, você acha que um *serial killer* prendeu a gente aqui?

Logo começou a dar risada e deu uma tropeçada pro lado, coisa de bêbado.

Fosse lá quem tivesse fechado aquele portão, como o único sóbrio dali, eu já estava quase enfartando de medo.

TODOS SENTARAM NA FRENTE DO PORTÃO E ENTÃO SE ESTABELECEU O DESESPERO COLETIVO. NÃO TINHA COMO ESCALAR, POIS A QUEDA SERIA ALTA DEMAIS, SEM CONTAR AS LANÇAS NO TOPO DA GRADE. NÃO TINHA COMO QUEBRAR O CADEADO, NÃO TINHA COMO SAIR PELOS MUROS LATERAIS, QUE TAMBÉM ERAM

ENORMES E AINDA POR CIMA COM AQUELES CACOS DE VIDRO PARA PROTEGER O TERRENO CONTRA INVASÕES. OU SEJA, ESTÁVAMOS MESMO PRESOS. E, COMO NÃO QUERÍAMOS SER VISTOS POR QUALQUER UM, FICAMOS MAIS PERTO DA CASA.

As meninas choravam de medo, sono, fome... sei lá. Os caras começaram a ficar sérios e com medo. O Dani era o único que volta e meia dava umas risadinhas sozinho, aquela de bêbado que ri da própria piada.

Já eram cinco da manhã e nada de movimento na estradinha. O desespero ficou enorme. O meu principalmente, pois eu tinha certeza de que ninguém passaria ali pra nos ajudar.

Duas horas depois, às sete da manhã, ouvimos o portão novamente.

Alguns já tinham dormido na escadinha, as meninas umas em cima das outras e eu ali pregadão, só observando!

O portão se mexeu e logo vi a figura de um senhor com boné vermelho, calça jeans rasgada e uma camiseta branca tirando o cadeado do portão.

Acordei todo mundo e os mandei olhar pra lá.

Como eu disse, a distância era longa, então acho que o velho não nos viu. Nós nos escondemos atrás da mureta que separava a casa das escadas e ali ficamos espiando.

O efeito do álcool já tinha passado para alguns e, para outros, era só o sono mesmo. As meninas começaram a chorar de novo e a falar:

— E se ele nos machucar?!

Um dos garotos respondeu:

— Cala a boca, caralho! Se ele for matar alguém, eu vou dar você pra ele!

Foi aí que ela começou a chorar alto e pronto, ferrou! O velho, que parecia surdo abrindo aquele portão, deu um berro:

— **Quem está aí?!**

Era uma voz brava, que parecia capaz de matar quem aparecesse.

Quem levantou pra explicar a situação? EU. Me empurraram pra cima da mureta e não tive escolha.

O velho se aproximou, me encarou e perguntou de novo:

— QUEM É VOCÊ?!

Eu, gaguejando de medo, falei:

— A gente...

O velho me cortou e falou:

— A gente quem?!

Logo as outras cabeças se levantaram da mureta.

O velho pegou um facão sujo de terra que estava preso atrás do corpo e gritou:

— Quem deu a permissão pra vocês estarem aqui?!

Ninguém respondeu e ele continuou avançando ainda mais até a gente:

— Quem são vocês?!

Nessa pergunta, ele já estava no primeiro degrau da escada. Foi quando a gente pulou pela mureta e saiu correndo até o portão pra fugir. Só que as meninas não conseguiram essa proeza do salto.

NÃO DEU OUTRA. Os meninos já estavam quase no portão e as meninas ficaram lá com o velho. Eu, com pena, parei no meio do caminho e fiquei vendo o que aconteceria.

Os quatro caras que vieram depois já estavam no carro em que chegaram e vazaram sozinhos! O Dani e os outros três estavam no portão me chamando e eu ali, olhando para as quatro meninas que ficaram.

Foi então que o velho deu passagem pra elas e elas vieram até a gente, inclusive a que deu PT.

Chegando, uma delas disse:

— Nossa, que escrotos vocês! Nem pra esperarem.

Tentei entender o que rolou ali e por que o cara não fatiou as garotas com aquele facão cheio de terra. Os meninos falaram:

— **Vamo vazar!!!**

Elas ignoraram e disseram:

— O velho trabalha aqui no terreno, seus idiotas! Ele cuida pro proprietário.

Logo pensei:

"Tá cuidando tão bem que qualquer um invade, fácil."

Se bem que, sei lá, em Limeira eles não deviam estar acostumados com moleques invadindo casas para beber. Nem eu estava, na verdade.

A gente se juntou novamente e seguiu andando até a casa do dono do rolê, que pediu desculpas pelo passeio que deu errado. Ele abraçou a menina que deu PT e disse:

— Chegando em casa, vamos cuidar de você, tá?

Ela deu risada e respondeu:

— Agora que eu já vomitei tudo e estou bem, você quer cuidar de mim? Eu vou capotar, isso, sim!

Já eram quase oito horas da manhã e eu estava exausto. Virei uma múmia ambulante sem pique algum pra andar quarenta minutos de volta. Nem pra passar um táxi ali, pra nos levar... Naquela estrada não passava nada, que mico.

Chegamos à casa dele e todos capotaram.

Enfim, depois dessa, nunca mais saí pra nenhum lugar sem saber EXATAMENTE aonde estávamos indo. Rolê sem rumo, nunca mais. Vai que eu acabasse em outra casa abandonada novamente e, desta vez, com direito a *serial killer* de verdade?!

8

ESTA ACONTECEU DURANTE UMA DAS COPAS DO MUNDO.

SE VOCÊS LERAM O LIVRO ANTERIOR, JÁ SABEM QUE NÃO SOU MUITO CHEGADO A FUTEBOL, NEM EM REUNIÕES COMO NATAL OU EVENTOS DESSE TIPO. MAS, QUANDO SE FALA EM COPA DO MUNDO, É PRATICAMENTE IMPOSSÍVEL NÃO SE REUNIR COM OUTRAS PESSOAS, TODO MUNDO VESTINDO AMARELO E VERDE, CARREGANDO VUVUZELAS, BANDEIRAS E TODA AQUELA ZOEIRA.

Eu estava querendo ficar com uma menina na época, a Letícia. Na verdade, quando é que eu não queria ficar com uma menina, não é mesmo? O lance era conseguir.

A Letícia tinha uma amiga muito chegada, que nos convidou para assistir ao jogo no apartamento dela, no bairro Jardins, aqui em São Paulo. Até aí, tudo tranquilo, se eu não tivesse inventado de levar um parceiro meu, o Luca.

Chegamos lá e demos de cara com um puta apê, daqueles antigos, enormes, que dá pra andar de bicicleta dentro da sala. O apartamento da garota todo arrumadinho, móveis de qualidade (eu não entendo nada de móveis, mas, quando vejo muita coisa feita de madeira, sei que é coisa fina), e, quando pensamos que seriam poucas pessoas, demos de cara com vários familiares, amigos, cachorros (dois, na verdade), papagaio, empregada, ou seja, GENTE PRA CACETE!

Só a mesa de comes e bebes tinha o comprimento de uma mesa de pingue-pongue, e havia tanta coisa lá em cima que dava pra alimentar uma comunidade carente.

Pois bem, nós entramos e logo encontramos a amiga da Letícia, uma garota baixinha e bem bonita, que disse:

— Que bom que vocês vieram torcer com a gente!

Todo mundo deu aqueles beijinhos de "oi", meio constrangidos. Eu apresentei meu amigo, porque queria que ele se enturmasse logo, mas na verdade nem eu me enturmaria com aquele monte de gente estranha.

Mesmo assim, já estávamos lá, e eu sabia que era importante pra Letícia que a gente marcasse uma social, então fiz a minha parte. Quando a amiga dela apresentou os pais, vi que eram bem simpáticos, estava indo tudo muito bem.

Foi quando eu percebi que o Luca ficou logo interessado na garota. Sabe quando o olho da gente brilha? Então, parecia que tinha dois sóis dentro dos olhos dele.

Até aí, tranquilo, eu tentaria ficar com a Letícia e ele com a amiga dela. O problema foi aquele monte de gente que eu não esperava que tivesse lá, pra embaçar nossa missão de conseguir algo com elas.

De qualquer forma, depois das apresentações e de quebrarmos o gelo, nós nos acomodamos em algum lugar.

POR CAUSA DO TRÂNSITO, CHEGAMOS BEM EM CIMA DA HORA DO JOGO. NA VERDADE A BOLA JÁ TINHA ROLADO E A GRITARIA CORRIA SOLTA DENTRO DA SALA. EU NÃO SABIA DIREITO NEM QUEM ESTAVA JOGANDO, QUANTO MAIS SE O ADVERSÁRIO DA SELEÇÃO BRASILEIRA ERA BOM OU NÃO. EU SÓ ESTAVA LÁ E

ISSO JÁ ERA MUITO PARA UM CARA QUE NEM CURTE FUTEBOL.

Nós nos sentamos juntos em um sofá. Serviram refrigerantes, amendoim, Doritos, e, toda vez que eu olhava pro Luca, parecia que ele estava com os olhos grudados na garota.

O cara estava mesmo embasbacado, quase babando por ela. Ele tinha sentado do meu lado, um pouco distante dela, por causa do tamanho do sofá.

Eu aproveitei a barulheira e dei uma cutucada nele.

— E AÍ, LUCA, TÁ DE BOA?

— CARA, SE LIGA NESSA MINA... TE AMO!

— É, EU PERCEBI QUE VOCÊ FICOU A FIM DELA.

Meu amigo não era nenhum sem noção. Na verdade ele era um cara meio tímido igual a mim, então sugeri:

— VAMOS DAR UM JEITO DE TROCAR DE LUGAR?

— IH, ACHO QUE NÃO VOU TER CORAGEM DE CHEGAR NELA... E SE OS PAIS DELA ESTIVEREM OBSERVANDO A GENTE?

Eu não sei se vocês sabem, mas gosto muito de ajudar e apoiar os amigos.

A coisa toda estava dando certo. Mesmo com o trânsito pesado, nós tínhamos chegado a tempo do jogo, e, embora não nos misturássemos com o resto do pessoal, a garota havia ficado do nosso lado, dando atenção o tempo todo.

Conseguia ver que ela era bastante simpática. Meu amigo também era um cara muito bacana, embora tímido, então eu sabia que não tinha que me preocupar com problemas.

EU DEI UM JEITO DE CONTAR PRA LETÍCIA O QUE ESTAVA ROLANDO. ELA MESMA JÁ TINHA NOTADO, E SABE COMO SÃO AS GAROTAS, NÃO É? LOGO AS DUAS DERAM UM JEITO DE LEVANTAR DO SOFÁ PRA PEGAR ALGUMA COISA E FALAR EM PARTICULAR, SEPARADO DA GENTE.

Eu, por conhecer a Letícia há mais tempo, estava um pouco mais confortável com ela do que o Luca. Só que, como eu queria ficar com ela também, comecei a travar junto com ele. Duas estátuas ali, no sofá.

Acho que numa amizade, pra equilibrar, precisa existir o cara tímido e o cara de pau. Se são dois tímidos, ferrou, é sucesso ZERO entre as garotas. Você acaba sendo o "bonzinho" entre elas.

"Ahhh... ele é tão bonzinho..."

GAROTOS! Se uma menina disser que você é "tão bonzinho"... você tá ferrado! Essa é a pior coisa da qual uma garota pode te chamar.

Bonzinho é igual a: "Você é legal, fofinho, bonitinho, mas é bonzinho demais e por isso eu nunca vou ficar com você, preciso de um cara com mais atitude".

Enquanto isso, meu amigo estava ficando meio pálido, branco mesmo.

Eu falei:

— Cara, tá parecendo que você nunca conversou com uma garota.

Ele não rebateu. Então eu percebi que ele ficou ainda mais nervoso, porque começou a mexer no celular, mas na verdade não estava fazendo nada com nada, era só porque os dedos não ficavam parados.

Quando elas voltaram, a garota trocou de lugar e sentou ao lado dele. Eu logo pensei: **"Relaxa, tá tudo dando certo, vê se não fica bobo e aproveita a oportunidade!"**.

Eu queria muito dizer isso pra ele, mas nem adiantava olhar nos olhos do meu amigo, porque o Luca estava com a cabeça meio baixa e mais branco do que antes.

Eu não sabia direito o que estava acontecendo com o jogo, mas, depois de um tempo, alguém chutou uma bola na trave e a galera toda começou a se levantar e a xingar muito.

Foi quando o Luca levantou também e disse pra gente:

– DESCULPA, EU PRECISO IR AO BANHEIRO.

Ele disse isso com aquela cara de quem estava desesperado pra sair dali.

Acho que ficou todo mundo surpreso, porque ninguém esperava que ele se levantaria tão rápido. Eu percebi que a garota que estava com a gente ficou meio decepcionada. Mas ela foi supereducada e explicou direitinho qual era o caminho, que tinha que atravessar o corredor, virar à direita e tal.

O cara estava com uma bandeira do Brasil amarrada na cintura e desapareceu da nossa frente que nem o Flash.

A Letícia veio bem pertinho de mim e perguntou:

— Tá acontecendo alguma coisa?

— Não, acho que ele foi só lavar o rosto...

Fazia calor, a gente tinha ficado preso no trânsito por bastante tempo e comprado umas garrafas de água mineral de um vendedor no meio do caminho, então eu acreditava que ele estava apertado, mas obviamente não ia falar pra elas que ele tinha ido mijar.

SOU DESSES QUE GOSTAM DE ESCONDER QUE FAZEM XIXI E COCÔ A SETE CHAVES DIANTE DE UMA GAROTA. ATÉ AÍ, NADA ANORMAL. E TAMBÉM TINHA O FATO DE QUE ELE ESTAVA NERVOSO E DEVIA QUERER MESMO LAVAR O ROSTO, SEI LÁ, SÓ PRA SE SENTIR MAIS À VONTADE E CONSEGUIR CONVERSAR COM A GAROTA.

Eu sei que o tempo foi passando, passando, passando... e nada de o Luca voltar.

Eu já estava ficando meio constrangido, porque ninguém falava nada a não ser do jogo, e eu só pensava no que o meu amigo estava fazendo lá dentro do apê da garota.

Comecei a ficar preocupado, mas não queria sair dali, porque, afinal de contas, nem sabia que desculpa ia dar pra elas.

Então senti meu celular vibrar no bolso. Peguei o tijolão e vi que tinha um SMS:

"Chris, preciso da tua ajuda."

Vocês já devem estar imaginando quem tinha me enviado essa mensagem, não é?

Quando olhei o número do telefone, confirmei que era ele, o Luca.

Eu digitei:

"Você tá louco de sumir assim? Volta pra cá!"

Logo chegou a resposta:

"Cara, eu tô no banheiro! Preciso MESMO de ajuda! Vem me ajudar, pô!!!"

Não teve jeito. Coloquei o celular no bolso e pedi licença para as duas, que ficaram me olhando com cara de que não estavam entendendo nada.

Vai ver, pensaram: "Será que ele vai desaparecer também?". "Não, só vai ali balançar o bilau do amigo para descer as gotas de mijo e voltar!" Aí eu dei um sorriso e elas devem ter entendido que eu ia atrás dele.

Eu avancei pelo corredor, procurando onde era o banheiro, puto da vida com o Luca. Quando olhei e percebi onde era o local, vi que a porta estava trancada, então ele devia estar mesmo ali dentro.

Bati na porta e sussurrei:

— Luca, tô aqui, o que foi?

Eu não sei nem se vou conseguir descrever direito o que aconteceu depois, mas vamos lá...

Ele abriu a porta. Ou melhor, a porta do INFERNO! Parecia que tinham matado alguém ali dentro, ou, se não era uma pessoa, pelo menos um animal de grande porte. Ou, quem sabe, um padre tivesse feito um exorcismo e expulsado o demônio para ali dentro.

CARA, EU NUNCA SENTI UM CHEIRO ASSIM!!!!

Imediatamente, tampei o nariz.

Meu amigo disse:

— Entra, entra, entra!!

É LÓGICO QUE EU NÃO QUERIA ENTRAR, MAS, QUANDO ELE VIU QUE EU ESTAVA PARADO, ME PUXOU DE UMA VEZ SÓ PARA DENTRO. O MÁXIMO QUE CONSEGUI FOI COLOCAR A GOLA DA CAMISA NA FRENTE DO NARIZ, MAS POSSO DIZER QUE NÃO ADIANTAVA MUITA COISA, PORQUE O CHEIRO ERA TÃO FORTE QUE MEUS OLHOS QUASE LACRIMEJAVAM.

Eu nunca vi um banheiro daquele tamanho, era tão grande quanto o meu quarto. Tinha até um ventilador de teto, acreditam? Eu não sei por que alguém colocaria um ventilador de teto no banheiro, deve ser coisa de gente rica. Ou vai ver que é porque tem a função "exaustor". Quando pensei nisso, tentei achar o botão que ligava, mas não encontrei.

Naquela hora, só o desespero batia.

Eu gritei:

— **O QUE VOCÊ FOI FAZER, CARA?????**

O meu amigo já estava tremendo todo, pálido que nem uma parede, quando eu vi que tinha pegado pesado com ele. Quer dizer, ele estava mais desesperado do que eu, todo cagado, apenas com a bandeira enrolada na cintura e a bermuda e a cueca caídas no chão.

— Chris, quando a garota sentou do meu lado e começou a falar, me deu uma caganeira...

Ainda com a camisa na frente do nariz e da boca, eu disse, abafado:

— Mas por que você me chamou aqui???

— É que a porra da descarga não tá funcionando.

Ele falou aquilo quase chorando. Eu tô me lembrando disso agora e morrendo de rir, mas, naquele instante, tudo estava descontrolado. Lembrei de todos os meus episódios com "bosta" e percebi que eu não era o único que se dava mal e que tinha carma com cocô.

QUANDO ELE LEVANTOU A TAMPA DA PRIVADA, EU QUASE VOMITEI COM O CHEIRO, QUE FICOU AINDA MAIS FORTE. ERA COMO SE TIVÉSSEMOS MESMO UM DEMÔNIO CONOSCO DENTRO DAQUELE BANHEIRO.

Ele apertou o botão da descarga repetidas vezes, só pra provar o que estava dizendo. Nada acontecia.

— Tá vendo?

Eu procurei me acalmar. Nessas horas, a gente PRECISA se acalmar. Só que, com aquele cheiro, era como se meu cérebro não funcionasse direito.

O tenso da situação é que, agora que eu estava com ele, eu tinha que resolver aquilo! Maldita hora que saí da sala e perdi a chance de me ajeitar com a Letícia.

Eu só sei que, quando uma descarga não funciona, a gente tem que encher um balde de água e jogar na privada pro cocô descer. Só que a gente estava num banheiro estranho, numa casa de estranhos, e não tinha nenhum balde por perto.

Eu não podia chamar ninguém, imagina. Já bastava a vergonha que estávamos passando, se alguém visse aquilo, o meu mundo cairia.

Só tínhamos mesmo a lixeira ao lado da privada, daquelas feitas de aço inox, sei lá.

Eu tive uma ideia:

— **Tira tudo que tá dentro da lixeira e me dá ela!**

Luca fez o que eu pedi, jogou o papel higiênico num canto e me entregou a lixeira.

Abri a torneira da pia. Graças a Deus, era daquelas torneiras altas, flexíveis, e consegui encher a lixeira de água. Entreguei para ele e o mandei entornar tudo na privada, enquanto eu rezava.

O meu amigo obedeceu. Logo eu ouvi o barulho da água descendo. Estávamos salvos!

Mas ele continuou olhando pra dentro da privada, com a lixeira na mão.

Eu perguntei:

— O que foi??

— Tem o primeiro tolocão que eu fiz, Chris. Esse não desce! **É muito grande!**

Eu sei, eu poderia chamar de anaconda, dizer que tinha uma cobra ali dentro, mas, como já usei essa expressão para o meu próprio pinto, vou deixar passar essa, pra não ficar mais nojento do que já está.

Nós enchemos a lixeira duas vezes e jogamos a água, mas não adiantou.

— E agora?

TÍNHAMOS QUE DAR UM JEITO NA SITUAÇÃO. O CHEIRO HAVIA DIMINUÍDO UM POUCO, MAS O NOSSO INIMIGO CONTINUAVA ALI DENTRO, NOS OBSERVANDO, E, SE TIVESSE UMA BOCA E DENTES (EU QUASE PODIA ACREDITAR QUE TINHA), ESTARIA RINDO DOS DOIS OTÁRIOS DENTRO DO BANHEIRO, QUE HAVIAM DEIXADO DUAS GAROTAS DO LADO DE FORA PARA DAR ATENÇÃO A ELE.

Eu comecei a abrir os armários do lugar. Encontrava um monte de utensílios, mas não tinha nada que servia. Até que eu me deparei com uma daquelas escovas que se enfiam dentro da privada para limpar. Imediatamente, eu peguei.

— Toma isso. — Entreguei para o Luca.

— Pra quê, Chris?

— Enfia nesse negócio e parte ele. Assim, acho que vai descer com o peso da água.

MEU AMIGO NÃO ACREDITOU, MAS NÃO TÍNHAMOS MUITAS OPÇÕES. ALIÁS, AQUELA PARECIA REALMENTE UMA ÓTIMA SAÍDA, A MELHOR QUE PODERÍAMOS TER. POR UM MOMENTO EU ACHEI QUE PRECISARÍAMOS DE UM CABO DE VASSOURA, MAS ERA ELE QUEM TINHA QUE SE LIVRAR DO INIMIGO, NÃO EU, ENTÃO TINHA QUE SE VIRAR COM A ESCOVINHA.

Eu sei que o Luca começou a cutucar o negócio, e vocês podem imaginar a cena... Era como se um esgrimista enfiasse a espada dentro da privada, ali, tentando desmembrar o oponente. Eu deveria ter tirado uma foto naquela época, mas nem imaginava que escreveria isso num livro algum dia, portanto deixo que construam a cena na cabeça de vocês!

Assim que ele me deu o "ok", eu joguei a água que estava na lixeira dentro da privada. E, para nossa sorte...

BLURPPPPP!!!! (Esse é mais ou menos o barulho da água descendo com você-sabe-o-quê.)

Funcionou!

O Luca ficou tão aliviado que acho que esqueceu que tinha enfiado a escovinha na privada. Ele virou o objeto de ponta-cabeça e eu só vi a água suja escorrendo na mão dele.

Cara, foi muito nojento! Quando ele percebeu a besteira que tinha feito, jogou a escovinha no chão, e ela quase caiu dentro da privada.

Enquanto ele lavava as mãos, eu só pensava em sair dali o mais rápido possível. Com o pé, chutei o papel higiênico de volta para dentro do cesto de lixo e deixei no canto. E só então eu percebi que o interruptor do ventilador ficava ali perto, provavelmente para que a pessoa pudesse ligar e desligar enquanto estivesse sentada no trono.

De repente, ouvimos uma pessoa bater na porta do banheiro:

— **Meninos, tudo bem aí?**

Meu mundo quase veio abaixo! Era a garota, dona do apartamento, baixinha e linda, que ficaria enorme e com a cara estragada se visse o que tínhamos feito naquele lugar.

Não sei se a Letícia estava com ela, mas eu torcia para que não. Afinal, com que cara sairíamos daquele banheiro? E pior, se abríssemos a porta e o cheiro invadisse o corredor...

Eu já estava pronto para responder qualquer coisa quando vi o Luca fazer cara de dor outra vez. Ele arriou a bermuda e a cueca de novo e sentou na privada com a bandeira enrolada na cintura. Não acreditei.

— O que você tá fazendo, cara?!

— Não dá, não dá, deu dor de barriga de novo!

Era como se a voz da garota despertasse algo dentro do intestino do cara.

Eu fiquei ali, sem dizer nada, com a testa encostada na porta e meu amigo se aliviando dentro da privada. Ele soltava uns gemidos estranhos, e eu torcia para que a garota não escutasse do lado de fora, senão minha reputação ia pro brejo de vez. Mas, estranhamente, ela havia se calado.

FICAMOS ALI POR MAIS ALGUNS MINUTOS ATÉ QUE COMEÇOU UMA BAGUNÇA SEM FIM. FOI QUANDO EU PERCEBI QUE A SELEÇÃO BRASILEIRA TINHA FEITO UM GOL. ERA A NOSSA OPORTUNIDADE.

— Rápido, Luca, levanta dessa porra e vamos sair daqui agora!!!

Eu não sei se ele já tinha acabado ou não, mas não quis nem saber. Eu já estava enchendo a lixeira de novo, e depois a entreguei pra ele, que jogou a água na privada.

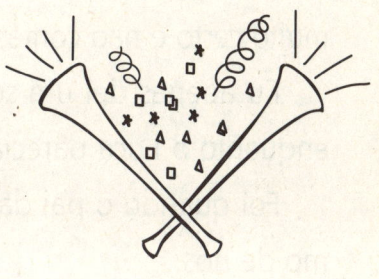

Fomos rápidos o bastante para deixar tudo em ordem, tão rápidos que a algazarra ainda não tinha terminado quando eu abri a porta.

Meu amigo já tinha levantado a bermuda por baixo da bandeira, e vi que a garota não estava mais lá! Nós saímos do banheiro e eu fechei a porta rapidamente, antes que o cheiro viesse atrás de nós dois.

O Luca disse:

— Valeu, Chris, você é um irmão!

Eu não disse nada. Estava injuriado, queria desaparecer dali, enfiar minha cabeça debaixo de um travesseiro e esquecer aquele dia (como vocês podem ver, eu nunca me esqueci!), mas de alguma forma a frase me deixou um pouco mais calmo.

Quando voltamos para a sala, para nossa sorte, o pessoal não se deu conta. Era uma felicidade geral, tinha salgadinho e cerveja espalhados pelo chão, como se todos tivessem pulado e se abraçado ao mesmo tempo.

Eu me sentei no sofá com o Luca. As duas garotas nos olharam, mas elas devem ter se tocado de que algo não tinha dado muito certo e não contestaram o nosso desaparecimento.

Eu apenas dei um sorriso amarelo e me afundei no sofá, enquanto o Luca parecia mais sem graça do que eu.

Foi quando o pai da garota soltou de algum lugar, próximo de nós:

— QUE CHEIRO DE MERDA É ESSE???

Eu também percebi. As duas perceberam.

Um monte de gente ficou olhando de um lado para o outro, acusando um dos dois cachorros de ter feito alguma caca ali perto. Só que não era nenhum cachorro, e eu sabia bem disso.

LUCA ABRIU AS PERNAS E NOTAMOS QUE A BANDEIRA DELE ESTAVA COM A PONTA MOLHADA.

ELE TINHA ESBARRADO NA ÁGUA DA PRIVADA, QUANDO ESTAVA SENTADO COM ELA ENROLADA NA CINTURA.

AS PESSOAS ENTENDERAM QUE O CHEIRO VINHA DE ONDE ESTÁVAMOS SENTADOS E...

Bem, acho que, a partir daí, eu nem preciso dizer mais nada, não é? Posso resumir que eu nunca fiquei tão envergonhado e nunca mais encontrei aquele pessoal. Nem sei te dizer se o Brasil ganhou ou perdeu naquele dia...

Eu só sei que assistir àquele jogo foi a pior *cagada* da minha vida.

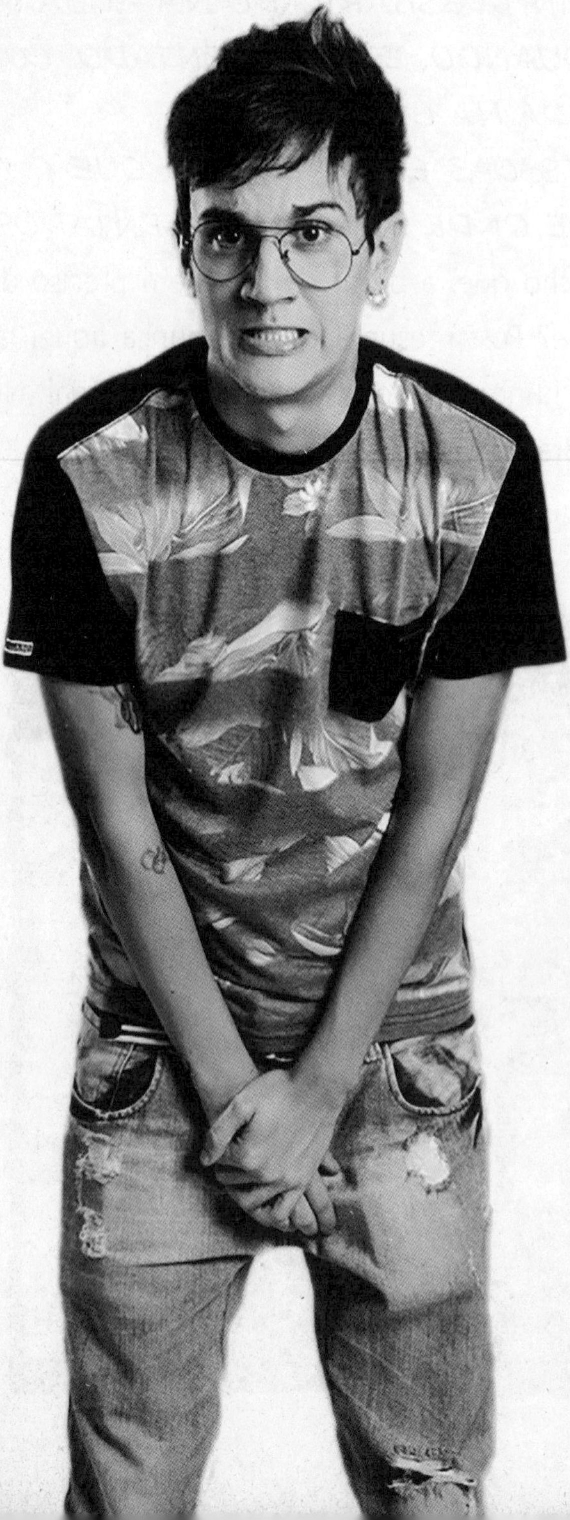

9

CONTINUAÇÃO DO VÍDEO:
"O DIA EM QUE EU CONHECI UM TAXISTA MAFIOSO"

EU E MINHAS IDEIAS LOUCAS DE CONTINUAR VÍDEO EM LIVRO, E VICE-VERSA! PRA QUEM CORREU PRA ESTE CAPÍTULO POR CAUSA DO VÍDEO, EU ENTENDO VOCÊS, CURIOSIDADE É FODA!

Pra quem não sabe do que estou falando, este capítulo é uma continuação de um vídeo que eu fiz para o meu canal lá no YouTube. Procurem o vídeo:

"O DIA EM QUE EU CONHECI UM TAXISTA MAFIOSO"

Bem, já conferiram? Então, vamos nessa.

O taxista encostou o carro, saiu e foi até o porta-malas. Nisso, eu e meu amigo já estávamos morrendo de medo. O taxista ficou uns dois minutos mexendo no porta-malas e logo voltou para dentro.

Ele disse:

— Desculpem o inconveniente, meninos! Eu desconto esse valor no final da corrida.

Eu queria era sair correndo dali, isso, sim. Desconta minha vida e não me mata que tá tudo bem!

Eu tinha certeza de que aquele taxista ia detonar a gente. O cara era definitivamente um mafioso do Rio. Aqueles anéis, aquele jeitão dele meio "sou foda e ninguém me atinge", aquela superioridade para trabalhar num táxi... Ele definitivamente não era taxista. Meu medo era que o dono daquele carro estivesse morto no porta-malas.

Então ele seguiu até a blitz, onde um monte de gente estava sendo parado. Para nossa sorte, os policiais nos pararam também. O taxista não demonstrou estar bravo nem nada, mas senti as mãos dele tensionadas na direção, formando nós brancos nas dobras dos dedos.

Eu fiquei feliz. Afinal, se ele fosse realmente um bandido-mafioso-poderoso-master-do-Rio, seria preso e nós estaríamos salvos.

Na minha cabeça, ele só tinha pegado a gente de passageiro para disfarçar enquanto escapava de alguém. Ou, sei lá, estava indo *atrás* de alguém. Mas quem sabe o plano dele houvesse dado errado. Se isso fosse verdade, estávamos do lado de outros quinze carros, com os policiais pedindo documentos aos motoristas e revistando cada veículo.

ERA UMA BLITZ BEM MAIS INTENSA QUE AS DE SÃO PAULO. O NEGÓCIO ERA BARRA PESADA. PELO QUE ENTENDI, ESTAVAM PROCURANDO DROGAS.

Achei que ele daria meia-volta e sairia dali, e logo após mataria a gente, é claro. Na minha cabeça, o negócio era sempre fatal. Mas como era pista de uma só mão, ele teria que ir até o final e fazer o retorno só depois da blitz. Ou seja, na teoria, ele tinha se dado mal.

Ficamos ali, parados, e ele batendo os dedos na direção. Parecia ansioso.

Logo ele soltou:

— Paulista vem pro Rio e já vê a parte suja da cidade, né?

Eu concordei e falei que em São Paulo também era assim, que estava tudo bem...

Ele complementou:

— O policial tá se aproximando, fiquem quietos que eu assumo daqui.

Eu pensei:

"Mas o que eu assumiria?"

Se antes eu ainda tinha alguma dúvida, nessa hora tive certeza de que ele definitivamente não era um taxista. Ele usava gírias de filme, agia como mafioso, tinha cara de mafioso e com certeza mataria alguém se o policial revistasse o porta-malas dele.

Apesar de tudo, eu estava MUITO curioso pra saber o que tinha lá dentro. Pensei em drogas, cadáver, armas... mas, no fundo, aquilo só me deixava com mais medo.

Olhei para meu amigo, que estava se cagando também. Pensei em sair do táxi e falar que pediríamos outro mais à frente, mas estávamos tão paralisados que seria impossível sair daquele carro. Nossa comunicação era toda visual.

Um dos policiais chegou à janela do carro e pediu o básico: documentos do veículo e carteira de motorista. Logo em seguida, apontou uma luz na nossa cara. Ficou ali um tempo, iluminando nosso rosto, e depois passou a me cegar com aquele troço.

Para nossa surpresa, ele ordenou:

— Pô, cara, desce daí!

A entonação era animada. Coisa estranha!

Desci do carro e o policial me deu um cumprimento de mão. Falou:

— Minha filha é superfã sua, me deixa tirar uma foto pra mandar pra ela!

Não acreditei naquela cena! Acho que era a primeira vez que alguém mais velho falava que me conhecia.

Numa mistura de felicidade e ainda algum receio, dei um sorriso meio azedo e o policial tirou uma foto minha, sozinho, no meio da rua.

Imaginei a cena dele entregando a foto para a menina:

"Olha, filha, encontrei o Chris aqui na blitz da noite. Boa noite, te amo!"

É aí que a filha perde toda a boa imagem que tem de mim, né?

Depois que ele tirou a foto, pegou os documentos, devolveu pro "mafioso" e disse:

— Ah, levando um famoso assim, pode ir embora, cara! A ordem foi parar quase todo mundo. Tivemos um suspeito que acabou de fugir.

NESSA QUE ELE DISSE "SUSPEITO QUE ACABOU DE FUGIR", ME CAGUEI DE MEDO. E SE O SUSPEITO FOSSE EXATAMENTE O MEU TAXISTA? BEM, ACHO QUE O POLICIAL TINHA UMA FOTO DO BANDIDO DO QUAL ELES ESTAVAM ATRÁS, NÉ? QUIS ACREDITAR QUE SIM.

Por fim, falei pro meu amigo, pela janela:

— Mano, vamos ficar por aqui, o pessoal vai nos buscar pra levar pro hotel.

Vi pela cara do meu amigo que ele não havia entendido nada, mas desceu do carro e ficou ao meu lado. Acertei com o "mafioso" o valor da corrida e ele, meio sem saber o que estava acontecendo, perguntou com um ar arrogante:

— Você é o quê, garoto?

Eu respondi que fazia **"videozinho para o YouTube"**. Deixei bem no diminutivo pra ele não achar que era algo grande e, sei lá, me sequestrar e pedir uma montanha de dinheiro que minha família tentaria explicar que não tinha. Ou até mesmo guardar meu rosto e me caçar depois.

O táxi seguiu pela rua e nós ficamos ali, parados. O policial se despediu e eu pedi outro táxi por um aplicativo.

Por estar meio distante da área comercial, o carro demorou uns quinze minutos pra chegar. Ainda bem que o novo taxista era um cara velho, gordo e com cara de paizão. Esse, com certeza, não tinha nada de mafioso.

Ou seja, até hoje não sei se salvei um bandido de ser revistado, cheio de drogas no carro... mas fiquei feliz por ter sido dispensado da blitz porque um policial disse que sua filha assistia aos meus vídeos. Só que isso nunca tirou minha curiosidade:

Quem era aquele taxista e o que ele tinha dentro do porta-malas?

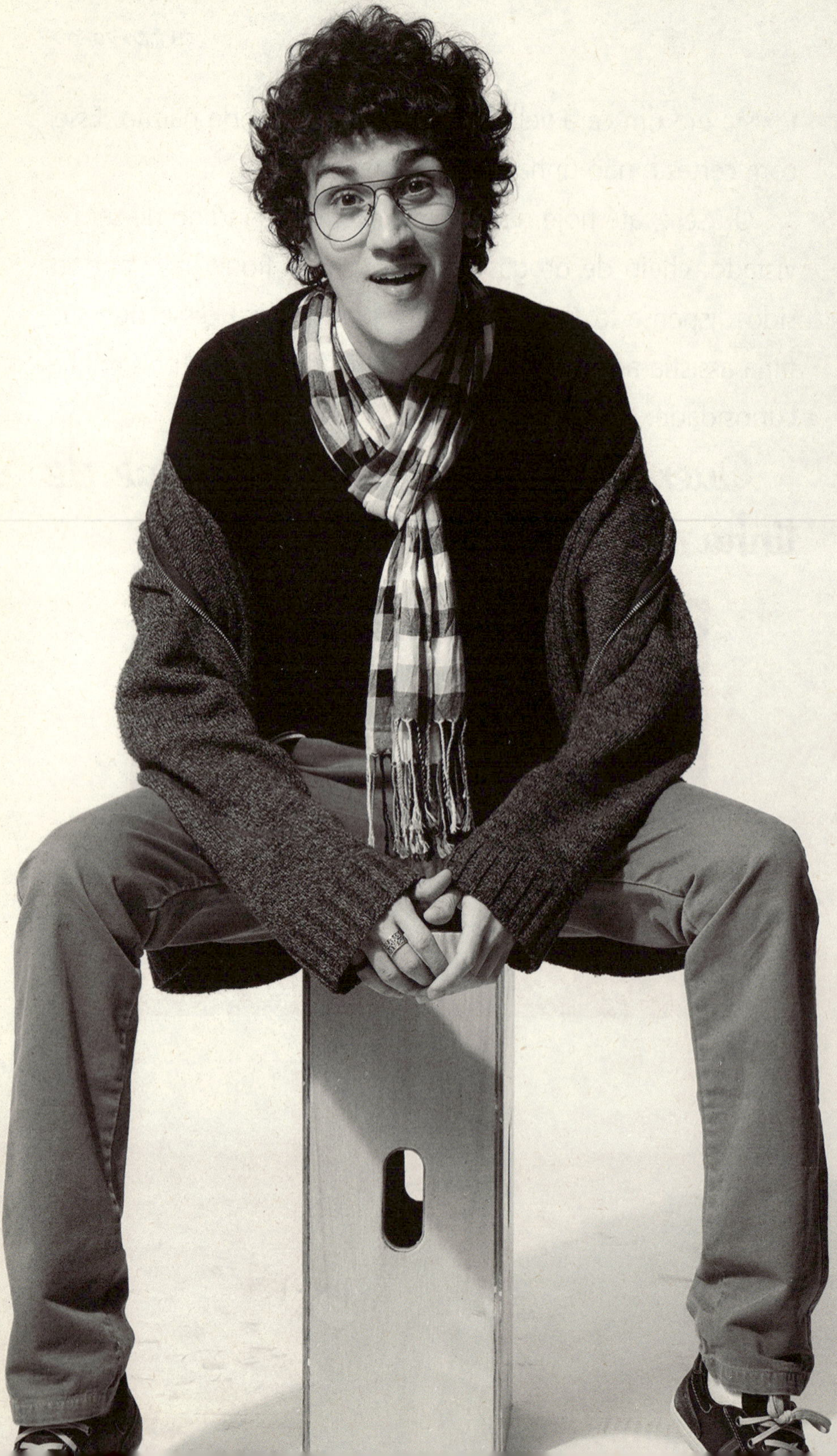

AMIZADE
Meu Melhor Amigo

Oi, vocês provavelmente não me conhecem. Eu sou o Dani, aquele amigo que não gosta de aparecer nos vídeos. Estou aqui para contar um pouco sobre o Chris, nossa amizade e as aventuras que passamos.

I

Já pararam para pensar e lembrar qual foi o primeiro momento em que você viu o seu melhor amigo? O que passou na sua cabeça? Você o achou estranho? Imaginou que algum dia ele seria seu melhor amigo? O que sentiu?

Pois bem, a primeira coisa que eu senti pelo Chris foi raiva! Mas não uma raiva qualquer, uma raiva de dar sangue nos olhos!

Eu tinha aproximadamente três anos. Estava sentado tranquilamente, comendo uma apetitosa areia na caixa de areia onde as crianças ficavam na escola em que eu estudava.

Enquanto saboreava meu inusitado alimento, percebi uma figura estranha me encarando. Nunca o tinha visto, mas estava entretido demais na minha tarefa pra ligar.

De repente, ouvi uma voz gritando:

— Fessôra, tem um menino comendo areia!

Nem prestei atenção, continuei comendo. Ouvi as mesmas palavras sendo repetidas inúmeras vezes: "Fessôra, tem um menino comendo areia!".

Levantei os olhos e vi dona Ângela se aproximando. Ela me suspendeu e começou um sermão interminável sobre como era errado e perigoso comer areia. Um papo meio confuso, de gatos fazerem cocô e xixi lá durante a noite. Mas não ouvia as palavras dela, apenas encarava o dedo-duro. Devia pensar somente em enchê-lo de porrada e xingá-lo de palavras de baixo calão, como "cocozento" e "peidorreiro". Quem aquele garoto loiro com projetos de cachinhos e macacão azul-escuro pensava que era, acabando com minha alegria daquele jeito?

Enquanto dona Ângela se afastava comigo em seu colo, eu pretendia me vingar! Tinha certeza de que, desse episódio, havia nascido meu maior rival.

Não é que estava errado? Daquele episódio nasceu meu grande amigo, meu melhor amigo! Algumas semanas depois, já tínhamos virado colegas inseparáveis. Ah, e antes que vocês pensem que sou retardado, nunca mais comi areia depois disso!

II

Uma das memórias mais antigas que tenho de nossa amizade é de um passeio ao Instituto Butantan, quando éramos bem pequenos. Para quem não sabe, o Instituto Butantan é um centro de pesquisa biomédica localizado em São Paulo. Eles mantêm espécimes vivos de serpentes e outros animais para visitação. Lembro que, no carro, um adulto que nos levava perguntou o que queríamos ser quando crescer. Respondi todo empolgado que seria jogador de futebol ou bombeiro, mas o Chris disse que queria fazer sucesso e ter um Porsche.

Eu me recordo também da felicidade e animação de ver todas aquelas serpentes, grandes e pequenas, ou as aranhas assustadoras. No fim do passeio, ficamos atirando bolinhas de papel nas pombas que tentavam roubar nossos sanduíches.

III

Não sei se vocês sabem disso, se o Chris falou em algum vídeo ou algo do gênero, mas ele se caga de medo de insetos, sempre se desesperando loucamente e me obrigando a matá-los.

Uma vez, estávamos em uma fazenda da amiga do pai dele. Eu, ele e uma menina jogávamos um jogo de tabuleiro na mesa da cozinha. Foi nesse momento que percebemos que havia cerca de nove marimbondos nos sobrevoando. Antes que eu pudesse entender o que estava acontecendo, o Chris pulou em alta velocidade, derrubando o banco em que estava sentado, e saiu em disparada pela porta. Não bastasse fugir e nos abandonar, ele trancou a porta, deixando a mim e a pobre menina reféns de nove marimbondos, com somente dois pares de chinelos à mão. Tive que matar todos e rezar para não ser picado. Ele disse que só abriria a porta quando "o terreno estivesse seguro".

Nessa mesma viagem, tivemos a brilhante ideia de matar um grilo que estava assustando o Chris com um lança-chamas feito de desodorante. Quase botamos fogo na casa inteira. Eu segurei o fósforo e ele o desodorante. Miramos direto no grilo. Como o Chris sempre foi meio sem noção, o spray dele foi mais um sopro de dragão. Era um jato de fogo que não acabava mais. Uma dica: jamais façam isso perto de uma cama!

Em outra ocasião, assistíamos a um filme de terror, uma tradição entre nós, e ele sentiu alguma coisa andando em suas costas. Levantou desesperado e me mandou acender a luz para ver o que era. Acendi e tinha uma barata gigantesca passeando pelo Chris. Ele começou a correr e a pular pela sala até a barata cair. Pra variar, eu que tive que matá-la. Mas os quarenta minutos seguintes foram preenchidos por um banho demorado do Chris, para tirar todos os vestígios dela. Ê menino fresco!!!

Em outra viagem que fizemos juntos para a fazenda do meu tio, ficamos numa casinha isolada, no alto de um morro, longe de todo mundo. Era uma casa de hóspedes mais reservada, para quem não queria ficar na casa principal. Como éramos "hardcore" e gostávamos de assistir a filmes de terror longe de todos, ficamos nessa casinha. Na primeira noite, vimos quatro filmes. Antes de irmos dormir, resolvemos sair para ver como estava a noite. O Chris logo saltou para o lado gritando: "MATA! MATA! MATA!". Olhei para a parede e tinha uma aranha enorme ali, aparentemente pronta pra pular na nossa cabeça e nos matar. Depois de uma batalha terrível, conseguimos jogá-la no mato sem nos ferir. Voltamos para dentro e fomos para a cama. E não é que tinha uma "tarântula" enorme esperando pelo Chris em cima de seu travesseiro?

Ô, que sorte a dele!

IV

Posso me orgulhar de ter feito parte do nascimento e do começo da paixão do Chris por filmar.

Quando éramos mais novos, sempre fazíamos pequenos filmes. Pegávamos a câmera digital dos pais do dono da casa (fosse na minha ou na dele) e começávamos a filmar curtas de comédia, drama, ação e inúmeros filmes de terror editados no Movie Maker, o editor de vídeos básico do Windows. Pouco tempo depois, descolamos uma câmera pesada com a qual fizemos inúmeras filmagens, cada vez mais elaboradas. Depois o Christian arranjou uma filmadora que gravava em um sistema de miniDVD, que culminou em grandes obras guardadas até hoje em nossas estantes.

Em seguida, inserimos no YouTube alguns de nossos vídeos, incluindo os quinze "Joga Bonito" que fizemos juntos, onde mostrávamos nossa habilidade forjada no futebol, como o pai do Chris falou na introdução.

Alguns anos depois, o Chris criou um novo canal no YouTube chamado "Eu Fico Loko". Participei ativamente dos primeiros vídeos, que eram mais curtas do que vlogs, mas, à medida que o canal foi se popularizando, comecei a fugir dos vídeos e morrer de vergonha quando o Chris surgia com a câmera.

Hoje em dia, só apareço nos daily vlogs do Chris quando ele me filma escondido ou nos snapchats quando fazemos rolês juntos para nossa maratona de filmes de terror.

Esse foi um pedacinho bem pequeno da história de nossa amizade. Espero que tenham gostado de conhecer um pouco mais do Chris e que tenham se divertido muito lendo este livro. Um livro escrito pelo meu melhor amigo!

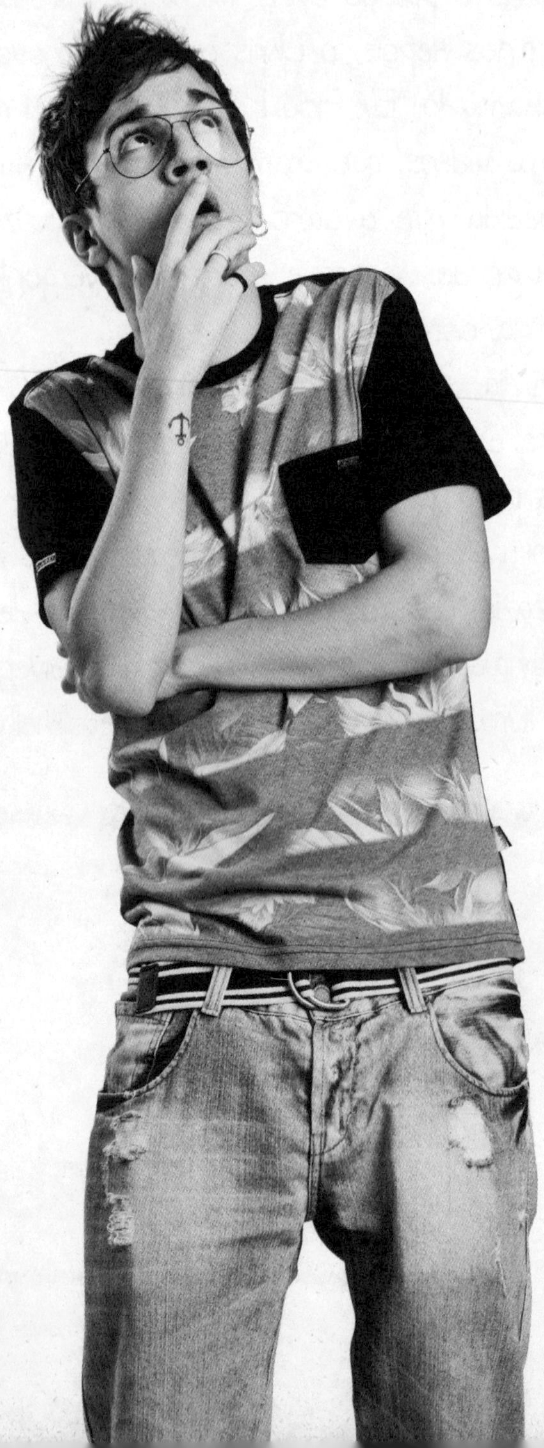

CONCLUSÃO

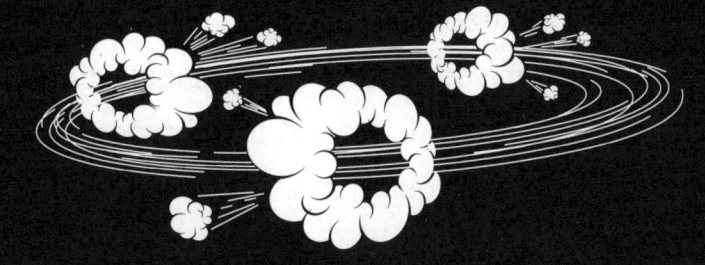

ODEIO ME DESPEDIR. DESPEDIDAS SEMPRE FORAM A PIOR SENSAÇÃO PRA MIM. É UMA MISTURA DE "UM DIA EU VEJO VOCÊ DE NOVO" COM "FOI TÃO BOM O QUE ROLOU AQUI PRA ACABAR AGORA" E "QUERIA QUE ISSO AQUI NUNCA ACABASSE".

MAS COMO TUDO QUE É BOM UMA HORA PRECISA TERMINAR... QUERO DEIXAR AQUI NESTE "DIÁRIO" UM BEIJO PRA TODOS VOCÊS QUE COMPARTILHARAM DAS ALEGRIAS, FRUSTRAÇÕES AMOROSAS, TRISTEZAS, ANGÚSTIAS E MOMENTOS INESQUECÍVEIS JUNTO COMIGO. ESPERO QUE ESSES PEDACINHOS DA MINHA VIDA SE ENCAIXEM DE ALGUMA FORMA POSITIVA NA VIDA DE VOCÊS.

Como vocês bem sabem, eu amo incentivar todo mundo a escrever. Gosto de estimular isso, pois, sempre que estou escrevendo, me sinto em um mundo só meu, onde eu comando tudo, até o impossível. Então, agora é a vez de vocês escreverem um pouco o que se passa aí no seu coração. Seja uma história, uma frustração amorosa, um momento inesquecível ou até mesmo uma carta para você ler daqui a dez anos. Uma conversa com o "você do futuro". Isso é superdivertido e vai te mostrar, daqui a alguns anos, se você ainda está com os mesmos pensamentos e objetivos que tem agora.

Eu mesmo já fiz altas cartas para o Christian do futuro, e querem saber? Minha cabeça muda toda hora.

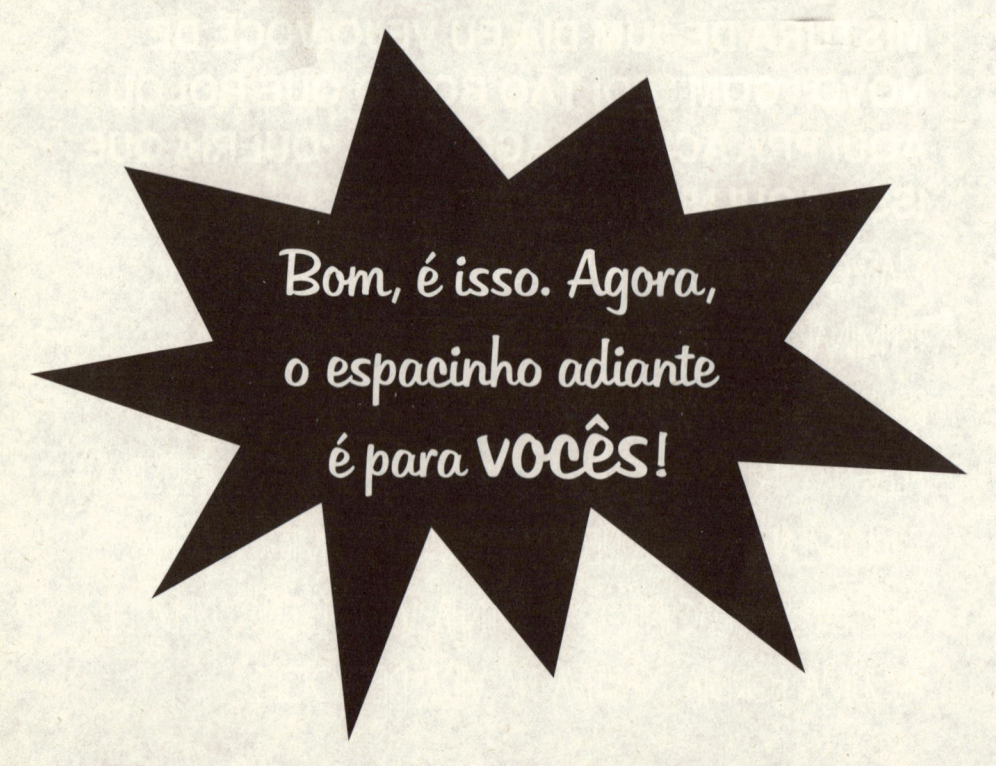

Bom, é isso. Agora, o espacinho adiante é para VOCÊS!

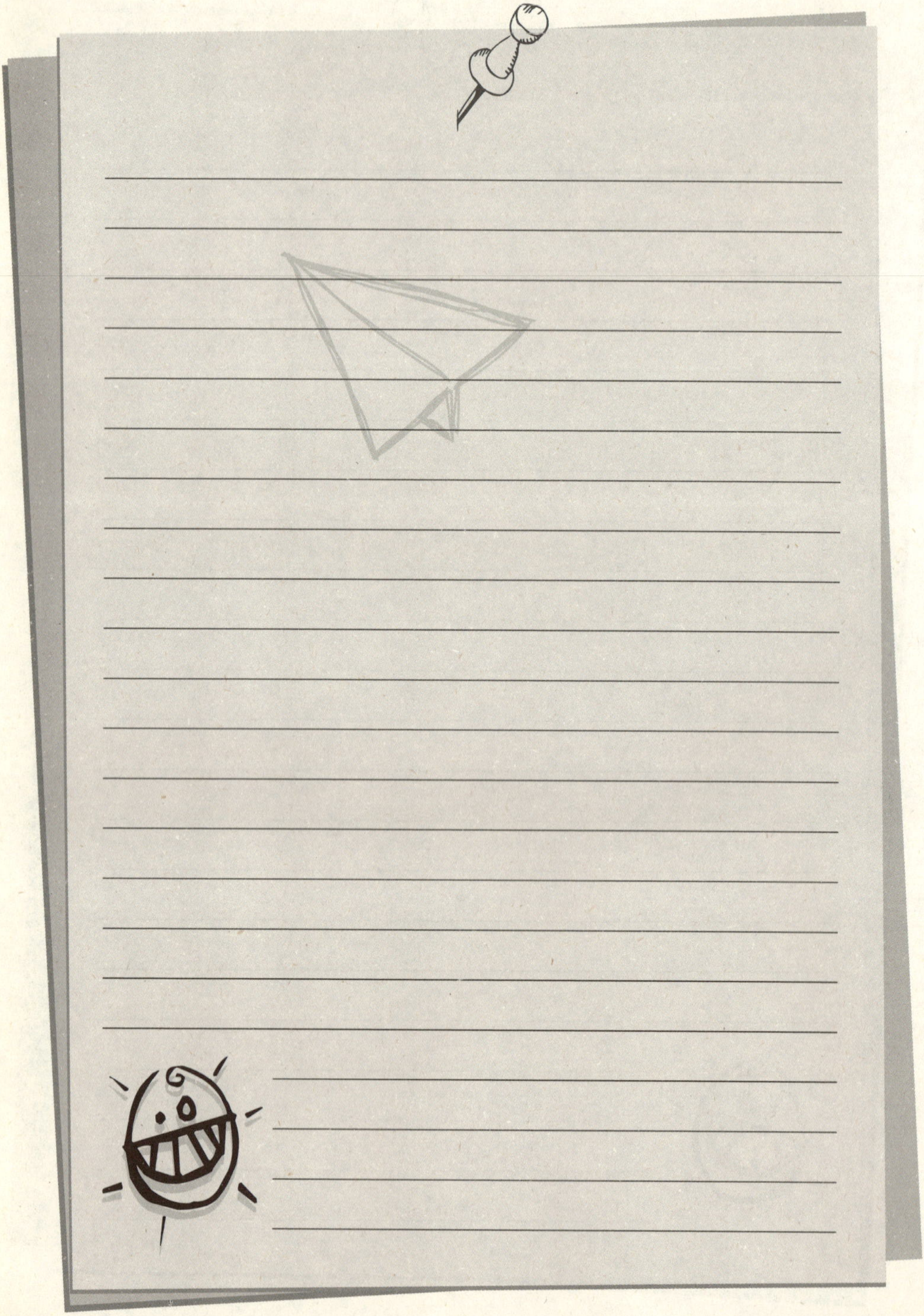

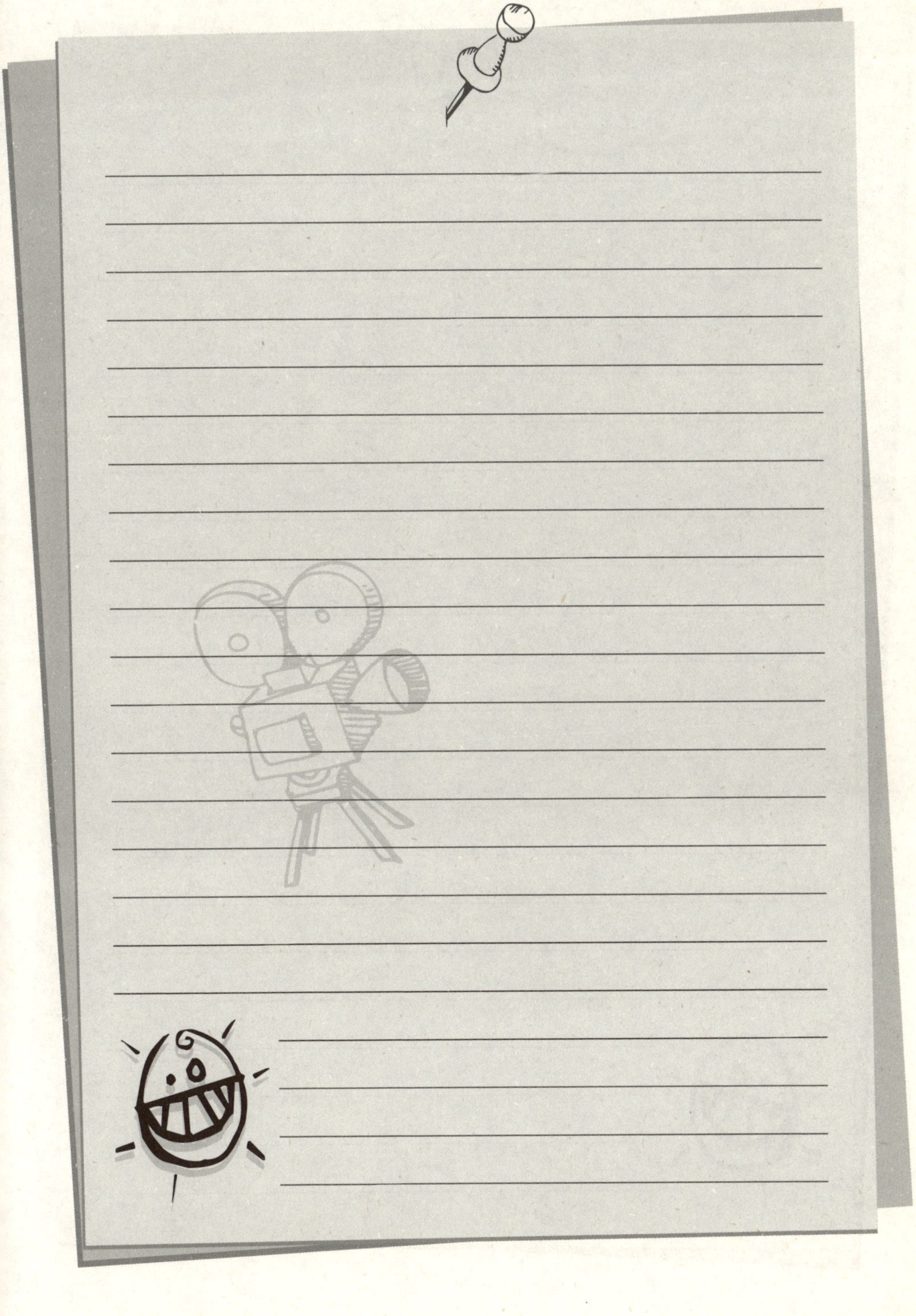